令和6年度

司法書士

本試験問題と詳細解説

東京法経学院

「令和6年度 司法書士 本試験問題と詳細解説」の発刊にあたって

　令和6年度司法書士試験が，令和6年7月7日（日）に実施されました。

　司法書士試験の出願者数は，令和2年度の14,431人を最低に，その後毎年増加傾向にあり，今年度の出願者数は16,837人でした。

　この中で上位600名強の選ばれた方のみが合格という栄冠を勝ち取ります。

　令和6年度に筆記試験を受験された皆様は，これまでの学習成果を十分に発揮され，全力を尽くされたこととは思いますが，自己の成績を正確に把握するとともに，実施された筆記試験を分析・復習する必要があります。また，次年度以降，司法書士試験を目指される皆様には，令和6年度の本試験の出題傾向並びに，その問題レベル等を知ることは，今後の学習の手がかりをつかむうえで必須作業です。

　本書は，令和6年度司法書士筆記試験の択一式70問・記述式2問の全問題並びにその解答番号・解答例とポイント解説を掲載しておりますので，令和6年度試験の検討並びに次年度試験対策資料として，幅広くご活用いただけます。

東京法経学院　編集部

令和6年度
司法書士 本試験問題と詳細解説

目 次

【問題編】

【解説編】

令和6年度 司法書士試験 択一式解答番号・出題のテーマ一覧
【午前の部】

科目	問題番号	解答	難易度	問題形式	出題のテーマ
憲法	第1問	3	★☆☆	B	表現の自由
	第2問	3	★☆☆	B	学問の自由及び教育の自由
	第3問	5	★☆☆	B	裁判所の組織と権能
民法	第4問	5	★☆☆	B	未成年者
	第5問	3	★☆☆	B	条件
	第6問	5	★☆☆	B	時効
	第7問	4	★☆☆	C	占有
	第8問	4	★★☆	B	相隣関係
	第9問	4	★☆☆	B	共有物の分割
	第10問	3	★☆☆	B	地役権
	第11問	3	★☆☆	B	民法上の留置権
	第12問	2	★☆☆	B	先取特権
	第13問	4	★☆☆	B	抵当権の効力
	第14問	5	★☆☆	B	抵当不動産の第三取得者
	第15問	3	★☆☆	B	元本確定前の根抵当権
	第16問	1	★★☆	B	詐害行為取消権の行使
	第17問	4	★★☆	B	保証
	第18問	5	★☆☆	B	贈与
	第19問	2	★☆☆	B	民法上の組合
	第20問	5	★☆☆	B	補助
	第21問	1	★☆☆	B	扶養
	第22問	4	★☆☆	B	遺言
	第23問	2	★☆☆	B	特別の寄与
刑法	第24問	3	★☆☆	B	違法性阻却事由
	第25問	4	★☆☆	B	傷害の罪
	第26問	1	★☆☆	B	毀棄及び隠匿の罪
商法・会社法	第27問	2	★☆☆	B	発起人の責任
	第28問	5	★☆☆	B	株主の権利
	第29問	4	★☆☆	B	株式の併合及び単元株式
	第30問	3	★☆☆	B	株主総会
	第31問	4	★☆☆	B	監査役
	第32問	4	★☆☆	B	株式会社の清算
	第33問	4	★☆☆	B	持分会社
	第34問	2	★★☆	B	株式会社の組織再編行為
	第35問	1	★☆☆	B	商行為

＊難易度は，★☆☆＝易，★★☆＝やや難，★★★＝難を示しています。
　出題形式は，A＝一肢選択問題，B＝組合せ問題，C＝対話型問題を示しています。

【午後の部】

科目	問題番号	解答	難易度	問題形式	出題のテーマ
民訴	第1問	5	★☆☆	B	訴訟委任に基づく訴訟代理人
	第2問	2	★☆☆	B	複雑訴訟形態
	第3問	2	★☆☆	B	当事者の出頭
	第4問	4	★☆☆	B	裁判によらない訴訟の完結
	第5問	4	★☆☆	B	少額訴訟
民保	第6問	3	★☆☆	B	民事保全全般
民執	第7問	4	★★☆	B	債務者の財産状況の調査
司士	第8問	1	★☆☆	B	司法書士又は司法書士法人
供託法	第9問	4	★☆☆	B	担保（保証）供託
	第10問	5	★☆☆	B	執行供託
	第11問	3	★☆☆	B	供託物払渡請求権の消滅時効
不動産登記法	第12問	3	★☆☆	B	主登記によってする登記
	第13問	2	★☆☆	B	登記の申請人
	第14問	5	★☆☆	B	代位による登記
	第15問	4	★★☆	B	不動産登記の申請の却下又は取下げ
	第16問	4	★☆☆	B	登記原因証明情報
	第17問	1	★☆☆	B	書面申請における印鑑に関する証明書の添付
	第18問	4	★☆☆	B	登記名義人の名称又は住所の変更の登記
	第19問	4	★☆☆	B	所有権の移転の登記
	第20問	4	★☆☆	C	法定相続分での相続登記がされている場合の登記手続
	第21問	3	★☆☆	B	区分建物についての登記
	第22問	5	★☆☆	B	抵当権又は根抵当権の登記
	第23問	1	★☆☆	B	抹消された登記の回復
	第24問	5	★☆☆	B	仮登記
	第25問	2	★★☆	B	処分禁止の登記
	第26問	3	★★☆	B	審査請求
	第27問	1	★☆☆	B	登録免許税
商業登記法	第28問	4	★☆☆	B	未成年者及び後見人の登記
	第29問	4	★☆☆	B	株式会社の設立の登記
	第30問	3	★☆☆	B	監査役会設置会社の役員等に関する登記
	第31問	4	★☆☆	B	株式会社の資本金の額の変更の登記
	第32問	4	★☆☆	B	清算株式会社の登記
	第33問	5	★☆☆	B	持分会社の登記
	第34問	3	★☆☆	C	新設分割の登記
	第35問	1	★☆☆	B	一般財団法人の登記

■受験データ

Ⅰ　令和6年度の出願状況について

　令和6年度司法書士試験の出願者数は昨年度に比して704人増，増減率で4.4％増の16,837人となった。

Ⅱ　過去5年間の出願者数及び合格者数等の変遷

年度	令和元年	令和2年	令和3年	令和4年	令和5年
出願者数 （人）	16,811 －857	14,431 －2,380	14,988 ＋557	15,693 ＋705	16,133 ＋440
合格者数 （人）	601 －19	595 －6	613 ＋18	660 ＋47	695 ＋35
合格率 （％）	3.6 ＋0.1	4.1 ＋0.5	4.1 0	4.2 ＋0.1	4.3 ＋0.1

※合格率は，出願者数に対する合格者数の割合です。

Ⅲ　過去3年間の合格基準点

年度	合格基準点
令和3年度	満点280点中208.5点以上 午前の部の多肢択一式問題については，満点105点中81点，午後の部の多肢択一式問題については，満点105点中66点，記述式問題については，満点70点中34.0点に，それぞれ達しない場合は，それだけで不合格とされた。
令和4年度	満点280点中216.5点以上 午前の部の多肢択一式問題については，満点105点中81点，午後の部の多肢択一式問題については，満点105点中75点，記述式問題については，満点70点中35.0点に，それぞれ達しない場合は，それだけで不合格とされた。
令和5年度	満点280点中211.0点以上 午前の部の多肢択一式問題については，満点105点中78点，午後の部の多肢択一式問題については，満点105点中75点，記述式問題については，満点70点中30.5点に，それぞれ達しない場合は，それだけで不合格とされた。

令和6年度
司法書士試験

問題編 ▶

午前の部　問題

憲　　　　　法

民　　　　　法

刑　　　　　法

商法・会社法

午後の部　問題

民 事 訴 訟 法

民 事 保 全 法

民 事 執 行 法

司 法 書 士 法

供 　 託 　 法

不 動 産 登 記 法

商 業 登 記 法

不動産登記 記述式

商業登記 記述式

午前の部　問題

第1問　表現の自由に関する次のアからオまでの記述のうち，**判例の趣旨に照らし誤って
いるもの**の組合せは，後記1から5までのうち，どれか。

ア　公務員又は公職選挙の候補者に対する評価，批判等の表現行為について，その
表現内容が真実でなく，又はそれが専ら公益を図る目的のものでないことが明白
であって，かつ，被害者が重大にして著しく回復困難な損害を被るおそれがある
場合には，当該表現行為の事前差止めを認めても憲法第21条第1項に違反する
ものではない。

イ　公職の選挙に関し戸別訪問を禁止する目的は，戸別訪問という手段方法がもた
らす弊害を防止し，もって選挙の自由と公正を確保するという正当なものである
が，一律に戸別訪問を禁止することは，合理的でやむを得ない限度を超えて意見
表明の自由を制約するものであり，当該目的との間に合理的な関連性があるとい
うことができず，憲法第21条第1項に違反する。

ウ　報道機関が，取材の目的で，公務員に対し，国家公務員法で禁止されている秘
密漏示行為をするようそそのかす行為は，その手段・方法にかかわらず正当な取
材活動の範囲を逸脱するものであるから，これを処罰しても，憲法第21条の趣
旨に反しない。

エ　公務員及びその家族が私的生活を営む場所であり一般に人が自由に出入りする
ことのできる場所ではない集合住宅の共用部分及び敷地に管理権者の意思に反し
て立ち入ることは，それが政治的意見を記載したビラの配布という表現の自由の
行使のためであっても許されず，当該立入り行為を刑法上の罪に問うことは，憲
法第21条第1項に違反するものではない。

オ　傍聴人が法廷においてメモを取ることは，その見聞する裁判を認識，記憶する
ためになされるものである限り，憲法第21条第1項の規定の精神に照らして尊
重されるべきであり，理由なく制限することはできない。

(参考)

憲法

第21条　集会，結社及び言論，出版その他一切の表現の自由は，これを保障
する。

2　検閲は，これをしてはならない。通信の秘密は，これを侵してはならない。

1　アエ　　　2　アオ　　　3　イウ　　　4　イオ　　　5　ウエ

第2問 学問の自由及び教育の自由に関する次のアからオまでの記述のうち，**判例の趣旨に照らし正しいもの**の組合せは，後記1から5までのうち，どれか。

ア　普通教育における教師には，大学教育における場合に認められるのと同程度の教授の自由が認められる。

イ　研究発表の自由は，表現の自由の一部であるが，学問の自由によっても保障される。

ウ　親は，子の将来に関して最も深い関心を持ち，かつ，配慮をすべき立場にある者として，憲法上，子の教育の自由を有する。

エ　教科書検定による審査が，単なる誤記，誤植等の形式的なものにとどまらず，教育内容に及び，かつ，普通教育の場において検定に合格した教科書の使用義務を課す場合には，教科書検定制度は，学問の自由を保障した憲法に違反する。

オ　大学における学生の集会は，真に学問的な研究又はその結果の発表のためのものではなく，実社会の政治的社会的活動に当たる行為をする場合であっても，大学の有する特別の学問の自由と自治を享有し，当該集会に警察官が立ち入ることは大学の学問の自由と自治を侵害する。

1　アイ　　　　2　アオ　　　　3　イウ　　　　4　ウエ　　　　5　エオ

第3問　裁判所の組織と権能に関する次のアからオまでの記述のうち，**判例の趣旨に照らし正しいもの**の組合せは，後記1から5までのうち，どれか。

ア　最高裁判所の裁判官は，内閣の指名に基づいて，天皇が任命する。

イ　裁判官は，裁判により，心身の故障のために職務を執ることができないと決定された場合を除いては，罷免されない。

ウ　行政機関が裁判所の前審として裁判を行う制度は，特別裁判所の設置を禁止する憲法に違反する。

エ　最高裁判所の裁判官の任命に関する国民審査の制度は，任命行為を完成させるか否かを審査するものではなく，実質的には解職の制度である。

オ　裁判所は，政治犯罪，出版に関する犯罪又は憲法第3章で保障する国民の権利が問題となっている事件を除き，裁判官の全員一致で公の秩序又は善良の風俗を害するおそれがあると決した場合には，対審を公開しないで行うことができる。

1　アウ　　　2　アエ　　　3　イウ　　　4　イオ　　　5　エオ

以下の試験問題については，国際物品売買契約に関する国際連合条約（ウィーン売買条約）の適用は考慮しないものとして，解答してください。

また，第4問から第23問までの試験問題については，商法の適用は考慮しないものとして，解答してください。

第4問　未成年者に関する次のアからオまでの記述のうち，**誤っているもの**の組合せは，後記1から5までのうち，どれか。

ア　法定代理人が目的を定めないで処分を許した財産は，未成年者が自由に処分することができる。

イ　未成年者に対して意思表示をした者は，未成年者の法定代理人がその意思表示を知った後は，その意思表示をもって未成年者に対抗することができる。

ウ　未成年者は，その法定代理人の同意を得ないで，負担付贈与の申込みを承諾することができる。

エ　未成年者が認知をするには，その法定代理人の同意を要しない。

オ　父母の離婚により15歳以上の未成年者が親権者である父又は母と氏を異にする場合には，その未成年者は，家庭裁判所の許可を得ることなく，戸籍法の定めるところにより届け出ることによって，その親権者である父又は母の氏を称することができる。

1　アイ　　　　2　アエ　　　　3　イオ　　　　4　ウエ　　　　5　ウオ

― 14 ―

第5問 条件に関する次のアからオまでの記述のうち，**正しいもの**の組合せは，後記1から5までのうち，どれか。

ア 停止条件が成就しないことが法律行為の時に既に確定していた場合には，その法律行為は，無条件となる。

イ 単に債務者の意思のみに係る停止条件を付した法律行為は，無効となる。

ウ 条件が成就することによって利益を受ける当事者が不正にその条件を成就させたときは，相手方は，その条件が成就しなかったものとみなすことができる。

エ 認知には，条件を付すことができる。

オ 不法な行為をしないことを条件とする法律行為は，無条件となる。

1 アイ　　　2 アオ　　　3 イウ　　　4 ウエ　　　5 エオ

— 15 —

第6問 時効に関する次のアからオまでの記述のうち，**判例の趣旨に照らし正しいものの**組合せは，後記1から5までのうち，どれか。

ア　不動産の贈与を受け，所有権に基づいて自己の物として不動産を占有する者は，当該不動産について，取得時効を理由として所有権を有することを主張することができない。

イ　期限の定めのない債権の消滅時効は，債務者が履行の請求を受けた時から進行する。

ウ　後順位抵当権者は，先順位抵当権の被担保債権の消滅により当該後順位抵当権者に対する配当額が増加する場合には，当該先順位抵当権の被担保債権の消滅時効を援用することができる。

エ　時効期間を計算するに当たっては，その期間が午前零時から始まるときを除き，期間の初日は算入しない。

オ　主たる債務者が主たる債務について時効の利益を放棄した場合においても，保証人は，主たる債務の消滅時効を援用することができる。

1　アイ　　　2　アエ　　　3　イウ　　　4　ウオ　　　5　エオ

第7問　次の対話は，占有に関する教授と学生との対話である。教授の質問に対する次の
　　　　アからオまでの学生の解答のうち，**判例の趣旨に照らし正しいもの**の組合せは，後
　　　　記1から5までのうち，どれか。

　　教授：　今日は，占有者の善意・悪意について考えてみましょう。占有者について
　　　　　　は，占有の態様等に関して，どのような推定がされますか。
　　学生：ア　占有者は，所有の意思をもって，平穏に，かつ，公然と占有をするもの
　　　　　　と推定されますが，占有者が善意であることは推定されません。
　　教授：　占有物から生ずる果実の収取について考えてみましょう。悪意の占有者は，
　　　　　　果実の収取を怠った場合には，その果実の代価を償還する義務を負いますか。
　　学生：イ　収取を怠った果実の代価を償還する義務を負いません。
　　教授：　占有物が占有者の責めに帰すべき事由によって滅失し，又は損傷したとき
　　　　　　における占有者の損害賠償の範囲について考えてみましょう。所有の意思の
　　　　　　ない善意の占有者は，どの範囲で賠償する義務を負いますか。
　　学生：ウ　損害の全部の賠償をする義務を負います。
　　教授：　善意の占有者が本権の訴えにおいて敗訴したときは，いつから悪意の占有
　　　　　　者とみなされますか。
　　学生：エ　占有を始めた時にさかのぼって悪意の占有者とみなされます。
　　教授：　相続が発生した場合の取得時効についても考えてみましょう。相続人であ
　　　　　　る占有者は，その選択に従い，被相続人の占有に自己の占有を併せて主張す
　　　　　　ることもできます。では，占有を始めた時に悪意であった相続人が占有を始
　　　　　　めた時に善意であった被相続人を相続した場合において，その相続人が被相
　　　　　　続人の占有を併せて主張するときは，取得時効の要件としての占有者の善
　　　　　　意・悪意は，どのように判定されますか。
　　学生：オ　被相続人の占有を併せて主張する場合には，相続人が占有を始めた時に
　　　　　　悪意であっても，善意と判定されます。

　　1　アイ　　　　2　アエ　　　　3　イウ　　　　4　ウオ　　　　5　エオ

第8問 相隣関係に関する次のアからオまでの記述のうち，**誤っているもの**の組合せは，後記1から5までのうち，どれか。なお，別段の慣習の有無を考慮する必要はない。

ア　堀の所有者は，対岸の土地が他人の所有に属するときは，当該土地の所有者の承諾を得なければ，当該堀の幅員を変更してはならない。

イ　土地の所有者は，その所有地の水を通過させるに当たり，低地の所有者の承諾を得なければ，当該低地の所有者が設けた工作物を使用することはできない。

ウ　水流地の所有者は，他人が所有する対岸の土地に付着させて堰を設けたときは，これによって生じた損害に対して償金を支払わなければならない。

エ　土地の所有者は，他の土地に設備を設置しなければ電気の供給を受けることができない場合であっても，当該他の土地の所有者の承諾を得なければ，当該設備を設置することはできない。

オ　土地の所有者が境界付近における障壁の修繕をするために隣地を使用する必要がある場合であっても，隣地上の住家については，その居住者の承諾を得なければ，立ち入ることはできない。

1　アウ　　　2　アオ　　　3　イウ　　　4　イエ　　　5　エオ

第9問　共有物の分割に関する次のアからオまでの記述のうち，**誤っているもの**の組合せは，後記１から５までのうち，どれか。

ア　共有者は，共有物について，５年を超えない期間内は分割をしない旨の契約をすることができる。

イ　共有者は，他の共有者が所在不明であることにより，共有物の分割についての協議をすることができない場合には，裁判所に共有物の分割を請求することができる。

ウ　裁判所は，共有物の現物を分割する方法により共有物を分割することができない場合に限り，共有者に債務を負担させて，他の共有者の持分の全部又は一部を取得させる方法により共有物の分割を命ずることができる。

エ　甲土地を所有していたＡが死亡し，Ｂ及びＣがＡを相続した場合において，甲土地の分割についてＢＣ間で協議が調わないときは，Ｂ又はＣは，遺産分割の審判を申し立てずに，共有物分割の訴えを提起することができる。

オ　Ａ及びＢが共有する甲土地について抵当権を有するＣは，甲土地の分割に参加することができる。

1　アイ　　　　2　アウ　　　　3　イオ　　　　4　ウエ　　　　5　エオ

第10問　地役権に関する次のアからオまでの記述のうち，**判例の趣旨に照らし誤っている**ものの組合せは，後記１から５までのうち，どれか。

ア　Ａ所有の甲土地にＢ所有の乙土地のための地役権が設定され，その後，ＢがＣに乙土地を売却し，その旨の登記がされた場合には，Ｃは，Ａに対し，甲土地の地役権を主張することができる。

イ　Ａ所有の甲土地にＢ所有の乙土地のための通行地役権が設定され，その後，ＡがＣに甲土地を売却した場合において，その売却の時に，甲土地がＢによって継続的に使用されていることがその位置，形状，構造等の物理的状況から客観的に明らかであり，Ｃがそのことを認識することが可能であったとしても，Ｃが通行地役権が設定されていることを知らなかったときは，Ｂは，地役権の設定の登記がなければ，Ｃに対し，甲土地の通行地役権を主張することができない。

ウ　Ａ所有の甲土地に，Ｂ，Ｃ及びＤが共有する乙土地のための地役権が設定されている場合には，Ｂは，乙土地の自己の持分につき，当該地役権を消滅させることができない。

エ　Ａ所有の甲土地にＢ所有の乙土地上の丙建物からの眺望を確保するための地役権が設定されている場合において，Ｂが乙土地のうち丙建物が存しない部分をＣに譲渡したときは，当該地役権は，Ｃが取得した土地のためにも存続する。

オ　Ａが，Ｂ所有の甲土地の地中に通された送水管を使用して，外形上認識し得ない形でＡ所有の乙土地への引水を継続して行っていた場合には，Ａは，乙土地のための甲土地の引水地役権を時効によって取得することができない。

１　アイ　　　２　アウ　　　３　イエ　　　４　ウオ　　　５　エオ

第11問　民法上の留置権に関する次のアからオまでの記述のうち，**判例の趣旨に照らし
誤っているもの**の組合せは，後記１から５までのうち，どれか。

ア　ＡがＢに対して甲建物を売却した後，Ａが甲建物を引き続き占有していたが，
Ｂがその代金全額を支払う前に甲建物をＣに対して売却した場合において，Ｃ
がＡに対して甲建物の明渡しを請求したときは，Ａは，Ｂに対する売買代金債
権を被担保債権として留置権を主張することができる。

イ　ＡがＢに対して甲建物を売却して引き渡した後，ＡがＣに対して甲建物を売
却し，その旨の登記がされた場合において，ＣがＢに対し甲建物の明渡しを請
求したときは，Ｂは，Ａに対する債務不履行に基づく損害賠償請求権を被担保
債権として留置権を主張することができる。

ウ　Ａ所有の甲土地を賃借したＢが，甲土地上に乙建物を建築し，Ｃに乙建物を
賃貸した場合において，Ｃが乙建物について必要費を支出した後，Ｂの賃料不
払を理由にＡＢ間の賃貸借契約が解除され，ＡがＣに対して乙建物からの退去
及び甲土地の明渡しを請求したときは，Ｃは，Ｂに対する必要費償還請求権を
被担保債権とする留置権を主張して，甲土地の明渡しを拒むことができる。

エ　Ａ所有の甲建物について譲渡担保権の設定を受けたＢが，当該譲渡担保権の
実行として甲建物をＣに売却した場合において，ＣがＡに対して甲建物の明渡
しを請求したときは，Ａは，Ｂに対する清算金支払請求権を被担保債権として
留置権を主張することができる。

オ　Ａを賃借人とし，Ｂを賃貸人とする甲建物の賃貸借契約がＡの賃料不払を理
由に解除された後，Ａが自らに占有権原のないことを知りながら甲建物をなお
占有している間に甲建物について有益費を支出した場合において，ＢがＡに対
して甲建物の明渡しを請求したときは，Ａは，Ｂに対する有益費償還請求権を
被担保債権として留置権を主張することができない。

１　アウ　　　２　アエ　　　３　イウ　　　４　イオ　　　５　エオ

第12問　先取特権に関する次のアからオまでの記述のうち，**正しいもの**の組合せは，後記1から5までのうち，どれか。

ア　共益の費用のうち全ての債権者に有益でなかったものについては，共益の費用の先取特権は，その費用によって利益を受けた債権者に対してのみ存在する。

イ　建物の賃借権の譲渡が適法にされた場合であっても，建物の賃貸人の先取特権は，賃借権の譲受人がその建物に備え付けた動産には及ばない。

ウ　不動産の工事の先取特権は，工事によって生じた不動産の価格の増加が現存する場合に限り，その増加額についてのみ存在する。

エ　同一の動産について動産の保存の先取特権が互いに競合する場合には，前の保存者が後の保存者に優先する。

オ　不動産の保存の先取特権の効力を保存するためには，保存行為の前にその費用の予算額を登記しなければならない。

1　アイ　　　2　アウ　　　3　イエ　　　4　ウオ　　　5　エオ

第13問　抵当権の効力に関する次のアからオまでの記述のうち，**判例の趣旨に照らし正し**いものの組合せは，後記1から5までのうち，どれか。

ア　抵当権が設定されている甲建物と抵当権が設定されていない乙建物がその間の隔壁を除去する工事により一棟の建物となった場合において，甲建物と乙建物が互いに主従の関係になかったときは，甲建物に設定されていた抵当権は消滅する。

イ　土地の賃借人が当該土地上に所有する建物について抵当権を設定した場合には，その抵当権の効力は，当該土地の賃貸人の承諾がない限り，当該土地の賃借権に及ばない。

ウ　抵当権が設定されている建物について賃貸借契約が締結され，敷金が授受された場合において，当該賃貸借契約に係る賃料債権につき抵当権者が物上代位権を行使してこれを差し押さえた後に，当該賃貸借契約が終了し，当該建物が明け渡されたときは，賃料債権は，敷金の充当によりその限度で消滅する。

エ　抵当権に基づき物上代位権を行使する債権者は，他の債権者による債権差押事件に配当要求をすることによっても，優先弁済を受けることができる。

オ　第三者が抵当不動産を損傷しようとしているときは，抵当権者は，当該第三者に対し，その行為の差止めを求めることができる。

1　アイ　　　2　アウ　　　3　イエ　　　4　ウオ　　　5　エオ

第14問 抵当不動産の第三取得者に関する次のアからオまでの記述のうち，**判例の趣旨に照らし誤っているもの**の組合せは，後記1から5までのうち，どれか。

ア　抵当不動産について所有権を買い受けた第三者が，抵当権者の請求に応じてその抵当権者にその代価を弁済したときは，抵当権は，その第三者のために消滅する。

イ　抵当権の被担保債務の保証人が抵当不動産の所有権を取得した場合には，当該保証人は，抵当権消滅請求をすることができない。

ウ　抵当不動産の第三取得者から抵当権消滅請求の書面の送付を受けた抵当権者が抵当権を実行して競売の申立てをするときは，法定の期間内に，債務者及び当該抵当不動産の譲渡人にその旨を通知しなければならない。

エ　抵当不動産の第三取得者は，抵当権の実行としての競売において，買受人となることができない。

オ　抵当不動産の第三取得者が抵当不動産について必要費を支出した場合において，抵当権の実行により抵当不動産が競売されたときは，当該第三取得者は，競売による抵当不動産の売却代金から抵当権者に優先してその支出した額の償還を受けることができない。

1　アウ　　　2　アエ　　　3　イウ　　　4　イオ　　　5　エオ

第15問　元本確定前の根抵当権に関する次のアからオまでの記述のうち，**正しいもの**の
　　　　組合せは，後記1から5までのうち，どれか。

　　ア　根抵当権者は，担保すべき元本の確定すべき期日の定めがある場合であっても，
　　　　当該期日の前に担保すべき元本の確定を請求することができる。
　　イ　根抵当権の担保すべき元本の確定すべき期日を定める場合には，その期日は，
　　　　これを定めた日から5年以内でなければならない。
　　ウ　抵当権の順位の譲渡を受けた根抵当権者が，その根抵当権の譲渡をした場合に
　　　　は，その譲受人は，抵当権の順位の譲渡の利益を受ける。
　　エ　根抵当権の共有者は，他の共有者の同意を得ることなく，その有する持分を譲
　　　　り渡すことができる。
　　オ　根抵当権者は，その根抵当権を2個の根抵当権に分割して，その一方を譲り渡
　　　　すことはできない。

　　1　アイ　　　　2　アオ　　　　3　イウ　　　　4　ウエ　　　　5　エオ

第16問 債権者Aが債務者Bに対して有する金銭債権を保全するための詐害行為取消権の行使に関する次のアからオまでの記述のうち，**誤っているもの**の組合せは，後記1から5までのうち，どれか。

ア　BがCから新たに借入れを行うと同時に同額の担保を供与した場合において，当該借入れ及び担保供与によりBが他の債権者を害することとなる処分をするおそれを現に生じさせたときは，Aは，BとCとが通謀して他の債権者を害する意図をもってこれを行ったときに限り，BのCに対する当該担保供与行為について詐害行為取消請求をすることができる。

イ　Bが支払不能の時にCに対する債務を弁済したが，その後，Bが支払不能の状態から回復した場合には，Aは，BのCに対する当該弁済について詐害行為取消請求をすることができない。

ウ　BがCに対して負う1000万円の債務について，時価3000万円の甲土地をもって代物弁済をした場合において，B及びCがAを害することを知っていたときは，Aは，Bが支払不能の時に当該代物弁済をしたときに限り，債務額を超える2000万円の部分について詐害行為取消権を行使して価額の償還を請求することができる。

エ　Bが，Aを害することを知って唯一の資産である甲土地を市場価格よりも著しく低額でCに売却し，その後，DがCから甲土地を買い受けた場合には，Aは，C及びDが，甲土地をそれぞれ取得した当時，Bの行為が債権者を害することを知っていたときに限り，Dの当該買受け行為について詐害行為取消請求をすることができる。

オ　BがCにした1000万円の金銭債務に対する弁済について，Aが詐害行為取消権を行使し，Cから直接支払を受けた場合には，Aは，Bに対して有する債権と，支払を受けた金銭についてのBのAに対する返還請求権とを対当額で相殺することができる。

1　アウ　　　2　アオ　　　3　イウ　　　4　イエ　　　5　エオ

第17問　保証に関する次のアからオまでの記述のうち，**誤っているもの**の組合せは，後記1から5までのうち，どれか。

ア　保証契約は，その内容を記録した電磁的記録によっても有効に締結することができる。

イ　一定の範囲に属する不特定の債務を主たる債務とする保証契約であって保証人が法人でないものは，主たる債務の元本，主たる債務に関する利息，違約金，損害賠償その他その債務に従たる全てのもの及びその保証債務について約定された違約金又は損害賠償の額について，その全部に係る極度額を定めなければ，その効力を生じない。

ウ　一定の範囲に属する不特定の債務を主たる債務とする保証契約であって保証人が法人であるものにおける主たる債務の元本は，主たる債務者が死亡したときは，確定する。

エ　事業の用に供する建物の賃貸借契約に基づく賃料債務を主たる債務とする保証契約は，その契約の締結に先立ち，公正証書で保証人になろうとする者が保証債務を履行する意思を表示していなければ，その効力を生じない。

オ　主たる債務者は，事業のために負担する債務を主たる債務とする保証を法人でない者に委託する場合には，その者に対し，財産及び収支の状況を含む民法所定の事項に関する情報を提供しなければならない。

1　アイ　　　2　アオ　　　3　イウ　　　4　ウエ　　　5　エオ

第18問 贈与に関する次のアからオまでの記述のうち，**判例の趣旨に照らし正しいもの**の組合せは，後記1から5までのうち，どれか。

ア　他人物を目的とする贈与は，贈与者がその物の所有権を取得した時からその効力を生ずる。

イ　受贈者は，書面によらない贈与であれば，履行の終わった部分についても解除することができる。

ウ　AがBに対して一定の財産を定期的に贈与する旨を約した場合において，Aが死亡したときは，当該贈与は，その効力を失う。

エ　15歳に達した者が死因贈与をするには，その法定代理人の同意を得ることを要しない。

オ　Aが，BがCに10年間にわたり毎年200万円を支払うという負担付きで，Bに対して4000万円に相当すると考えた甲建物を贈与した場合において，甲建物に不具合が存在していたために3000万円の価値しかないことが判明したときであっても，Bは，Aに対し，Cに支払うべき金銭の減額を請求することはできない。

1　アウ　　　2　アエ　　　3　イエ　　　4　イオ　　　5　ウオ

第19問　民法上の組合に関する次のアからオまでの記述のうち，**誤っているもの**の組合せは，後記１から５までのうち，どれか。

ア　組合の業務の決定は，業務執行者があるときであっても，組合員の過半数をもってする。

イ　組合員は，他の組合員が組合契約に基づく債務の履行をしないことを理由として，組合契約を解除することができない。

ウ　組合員の債権者は，組合財産についてその権利を行使することができない。

エ　脱退した組合員は，その脱退前に生じた組合の債務について，従前の責任の範囲内でこれを弁済する責任を負う。

オ　組合の成立後に加入した組合員は，その加入前に生じた組合の債務を弁済する責任を負う。

１　アウ　　　２　アオ　　　３　イウ　　　４　イエ　　　５　エオ

第20問　補助に関する次のアからオまでの記述のうち，**誤っているもの**の組合せは，後記１から５までのうち，どれか。

ア　本人以外の者の請求により補助開始の審判をするには，本人の同意がなければならない。

イ　補助開始の審判は，被補助人が特定の法律行為をするには補助人の同意を得なければならない旨の審判又は被補助人のために特定の法律行為について補助人に代理権を付与する旨の審判とともにしなければならない。

ウ　補助人は，遅滞なく被補助人の財産の調査に着手し，法定の期間内に，その調査を終わり，かつ，その目録を作成しなければならない。

エ　補助人の兄弟姉妹は，補助監督人となることができない。

オ　補助監督人と補助人との間で補助人の報酬の額を合意した場合には，家庭裁判所は，当該合意した額の報酬を補助人に付与しなければならない。

1　アイ　　　2　アオ　　　3　イエ　　　4　ウエ　　　5　ウオ

第21問　扶養に関する次のアからオまでの記述のうち，**判例の趣旨に照らし正しいもの**の組合せは，後記１から５までのうち，どれか。

ア　扶養権利者を扶養した扶養義務者が他の扶養義務者に対して求償する場合における各自の分担額について，扶養義務者の間で協議が調わなかったときは，家庭裁判所が当該分担額を審判で定める。

イ　扶養権利者と扶養義務者との間で扶養の程度又は方法について協議が調った後に，事情の変更があったときは，家庭裁判所は，その協議の変更又は取消しをすることができる。

ウ　家庭裁判所は，特別の事情がある場合には，扶養を受けるべき者の父母の兄弟姉妹の子に扶養の義務を負わせることができる。

エ　ある扶養権利者に対して扶養義務者が数人ある場合において，扶養義務者の間で扶養をすべき者の順序について協議が調ったときは，当該扶養権利者は，その協議により定められた順序に従って扶養の請求をしなければならない。

オ　扶養権利者は，扶養義務者との間で扶養料の具体的な額について協議をする前に扶養を受ける権利を放棄することができる。

１　アイ　　　　２　アエ　　　　３　イウ　　　　４　ウオ　　　　５　エオ

第22問 遺言に関する次のアからオまでの記述のうち，**判例の趣旨に照らし正しいもの**の組合せは，後記1から5までのうち，どれか。

ア　証人となることができない者が同席して作成された公正証書遺言は，民法所定の証人が立ち会っている場合であっても，無効である。

イ　自筆証書によって遺言をする場合にしなければならない押印は，指印によることはできない。

ウ　遺言者が自筆証書遺言に添付した片面にのみ記載のある財産目録の毎葉に署名し，押印していれば，当該目録について自書することを要しない。

エ　成年被後見人は，事理を弁識する能力を一時回復した時に，医師二人の立会いがあれば，自筆証書によって遺言をすることができる。

オ　自筆証書遺言に記載された日付が真実の作成日付と相違する場合には，それが誤記であること及び真実の作成日付が証書の記載から容易に判明するときであっても，当該遺言は，無効である。

1　アイ　　　2　アオ　　　3　イウ　　　4　ウエ　　　5　エオ

第23問　特別の寄与に関する次のアからオまでの記述のうち，**誤っているもの**の組合せは，後記１から５までのうち，どれか。

ア　Ａには，配偶者Ｂ及び子Ｃがおり，ＢがＡに対して無償で療養看護をしていたところ，Ａが死亡し，Ｂ及びＣがＡを相続した。この場合において，Ｂが療養看護をしたことによりＡの財産の維持又は増加に特別の寄与をしたと認められるときは，Ｂは，Ｃに対し，特別寄与料の支払を請求することができる。

イ　Ａには，子Ｂ及びＣがおり，Ｃの配偶者ＤがＡに対して無償で療養看護をしていたところ，Ａが死亡し，Ｂ及びＣがＡを相続した。この場合において，Ｄが療養看護をしたことによりＡの財産の維持又は増加に特別の寄与をしたと認められるときは，Ｄは，Ｂ及びＣに対し，特別寄与料の支払を請求することができる。

ウ　Ａには，子Ｂがおり，Ａの弟であるＣが定期的にＡ名義の預金口座に現金を振込送金し，生活費の援助をしていたところ，Ａが死亡し，ＢがＡを相続した。この場合において，ＣがＡの生活費を援助したことによりＡの財産の維持又は増加に特別の寄与をしたと認められるときは，Ｃは，Ｂに対し，特別寄与料の支払を請求することができる。

エ　特別寄与者と相続人との間で特別寄与料の支払について協議が調わない場合には，特別寄与者は，法定の期間内に，家庭裁判所に対して協議に代わる処分を請求することができる。

オ　特別寄与料の額は，被相続人が相続開始の時において有した財産の価額から遺贈の価額を控除した残額を超えることができない。

１　アイ　　　２　アウ　　　３　イエ　　　４　ウオ　　　５　エオ

第24問 刑法における違法性阻却事由に関する次のアからオまでの記述のうち, **判例の趣旨に照らし正しいもの**の組合せは, 後記1から5までのうち, どれか。

ア　他人に対し権利を有する者がその権利を実行する行為は, その権利の範囲内であり, 又はその方法が社会通念上一般に許容されるものと認められる程度を超えない場合には, 違法の問題を生ずることはない。

イ　行為者が, 単に予期された侵害を避けなかったというにとどまらず, その機会を利用し積極的に相手に対して加害行為をする意思で侵害に臨んだときは, 侵害の急迫性の要件を充たさず, 正当防衛は成立し得ない。

ウ　急迫不正の侵害に対し自己又は他人の権利を防衛するためにした行為と認められる限り, その行為は, 同時に侵害者に対する攻撃的な意思に出たものであっても, 正当防衛が成立し得る。

エ　過失による事故であるかのように装い保険金を騙し取る目的をもって, 被害者の承諾を得てその者に故意に自己の運転する自動車を衝突させて傷害を負わせた場合には, 被害者の承諾が保険金を騙し取るという目的に利用するために得られたものであっても, その承諾が真意に基づく以上, 当該傷害行為の違法性は阻却される。

オ　いわゆる喧嘩闘争については, 闘争のある瞬間においては闘争者の一方がもっぱら防御に終始し, 正当防衛を行う観を呈することがあっても, 闘争の全般からみて防衛行為とみることはできず, 正当防衛は成立し得ない。

1　アイ　　　2　アエ　　　3　イウ　　　4　ウオ　　　5　エオ

第25問　傷害の罪に関する次のアからオまでの記述のうち，**判例の趣旨に照らし誤って**
いるものの組合せは，後記1から5までのうち，どれか。

ア　Aは，狭い四畳半の室内でBを脅かすために日本刀の抜き身を数回振り回し
た。この場合，Aの行為は暴行罪における暴行に該当する。

イ　Aは，Bの頭部を多数回殴打する暴行を加え，意識消失状態に陥らせたBを
放置したまま立ち去ったところ，Bは死亡した。Aの暴行によりBの死因と
なった傷害が形成されたが，Aが暴行を加えてからBが死亡するまでの間に，
何者かがBの頭部を殴打する暴行を加え，当該暴行はBの死期を早める影響を
与えるものであった。この場合，Aには傷害致死罪は成立しない。

ウ　Aは，Bに対し，はさみを用いてその頭髪を根元から切断した。この場合，
Aには傷害罪は成立せず，暴行罪が成立する。

エ　Aは，隣家に居住するBに向けて，精神的ストレスによる障害を生じさせる
かもしれないことを認識しながら，連日連夜にわたりラジオの音声及び目覚まし
時計のアラーム音を大音量で鳴らし続け，Bに精神的ストレスを与え，慢性頭
痛症，睡眠障害及び耳鳴り症の傷害を負わせた。この場合，Aには傷害罪が成
立する。

オ　Aは，Bの身体を圧迫する暴行を加え，その結果，Bを死亡させたが，暴行
を加えた当時，Bが死亡することは予見していなかった。この場合，Aには傷
害致死罪は成立しない。

1　アエ　　　2　アオ　　　3　イウ　　　4　イオ　　　5　ウエ

第26問　毀棄及び隠匿の罪に関する次のアからオまでの記述のうち，**判例の趣旨に照らし正しいものの組合せ**は，後記1から5までのうち，どれか。

ア　Aは，Bの住居の玄関ドアを金属バットで叩いて凹損させた。同玄関ドアは，住居の玄関ドアとして外壁と接続し，外界との遮断，防犯，防風，防音等の重要な役割を果たしていたが，工具を使用すれば損壊せずに取り外すことが可能であった。この場合，Aには，建造物損壊罪が成立する。

イ　Aは，抵当権の実行による競売を延期させようと考え，裁判所から競売事件の記録を持ち出してこれを隠匿したため，裁判所が一時的に競売を実施することができなくなった。この場合，Aには，公用文書等毀棄罪は成立しない。

ウ　Aは，公衆便所の外壁にラッカースプレーで落書きをし，その結果，公衆便所の美観は著しく汚損され，原状回復に相当な困難が生じた。この場合，Aには，建造物損壊罪は成立しない。

エ　Aは，現行犯人として逮捕され，警察署において，司法警察員から弁解録取書を読み聞かせられた際，同弁解録取書に署名する前に，これをひったくり，両手で破った。この場合，Aには，公用文書等毀棄罪が成立する。

オ　Aは，A所有の甲土地とB所有の乙土地との境界に境界標として設置された有刺鉄線張りのB所有の丸太をのこぎりで切り倒し，境界標を壊したが，その境界は認識することが可能であった。この場合，Aには，境界損壊罪が成立する。

1　アエ　　　2　アオ　　　3　イウ　　　4　イエ　　　5　ウオ

第27問から第34問までの試験問題については，問題文に明記されている場合を除き，定款に法令の規定と異なる別段の定めがないものとして，解答してください。

第27問　発起人の責任に関する次のアからオまでの記述のうち，**正しいもの**の組合せは，後記１から５までのうち，どれか。

　　ア　発起設立の場合も，募集設立の場合も，各発起人は，株式会社の設立に際し，設立時発行株式を一株以上引き受けなければならない。

　　イ　発起人は，自らが給付した現物出資財産の価額が定款に記載された価額に著しく不足する場合であっても，その職務を行うについて注意を怠らなかったことを証明したときは，株式会社に対して当該不足額を支払う義務を負わない。

　　ウ　発起人は，株式会社が成立しなかった場合であっても，設立時募集株式の引受人があるときは，当該株式会社の設立に関して支出した費用を負担しない。

　　エ　発起人の責任を追及する訴えは，株主代表訴訟として提起することができる。

　　オ　発起人が株式会社の設立についてその任務を怠ったことによって当該株式会社に損害を生じさせた場合であっても，当該株式会社の設立の無効の訴えに係る請求を認容する判決が確定したときは，当該発起人は，当該株式会社に対し，損害を賠償する責任を負わない。

　　１　アウ　　　　２　アエ　　　　３　イエ　　　　４　イオ　　　　５　ウオ

第28問　株主の権利に関する次のアからオまでの記述のうち，**判例の趣旨**に照らし誤っているものの組合せは，後記1から5までのうち，どれか。

ア　取締役会設置会社の唯一の株主がその保有する譲渡制限株式を他人に譲渡した場合には，取締役会の決議による承認がないときであっても，その譲渡は，当該会社に対する関係において有効である。

イ　株式会社は，基準日株主が行使することができる権利が株主総会における議決権である場合において，当該基準日株主の権利を害しないときは，基準日後に株式を取得した者の全部又は一部を議決権を行使することができる者と定めることができる。

ウ　株券発行会社の株券を所持する株主は，当該会社に対し，当該株主に係る株主名簿記載事項を記載した書面の交付又は当該事項を記録した電磁的記録の提供を請求することができる。

エ　株主に剰余金の配当を受ける権利及び残余財産の分配を受ける権利の全部を与えない旨の定款の定めは，その効力を有しない。

オ　監査役設置会社において，株主が取締役会の議事録の閲覧又は謄写を請求するためには，裁判所の許可を得ることを要しない。

1　アウ　　　2　アエ　　　3　イエ　　　4　イオ　　　5　ウオ

第29問　株式の併合及び単元株式に関する次のアからオまでの記述のうち，正しいもの
の組合せは，後記1から5までのうち，どれか。

ア　株式の併合における併合の割合は，法務省令で定める一定の割合を下回ること
はできない。

イ　取締役は，株式の併合に関する事項を定める株主総会において，株式の併合を
することを必要とする理由を説明しなければならない。

ウ　株式会社は，株式の併合をすることにより株式の数に一株に満たない端数が生
ずる場合において，当該株式について市場価格がないときは，その端数の合計数
に相当する数の株式を競売以外の方法によって売却することはできない。

エ　単元株式数に満たない数の株式を有する株主は，定款の定めがない場合であっ
ても，株式会社に対し，当該株主が保有する単元未満株式の数と併せて単元株式
数となる数の株式を当該株主に売り渡すことを請求することができる。

オ　取締役会設置会社は，取締役会の決議によって，定款を変更して単元株式数を
減少することができる。

1　アウ　　　2　アエ　　　3　イウ　　　4　イオ　　　5　エオ

第30問　株主総会に関する次のアからオまでの記述のうち，**正しいもの**の組合せは，後記1から5までのうち，どれか。

　ア　株主総会の決議について特別の利害関係を有する株主は，当該決議について，議決権を行使することはできない。

　イ　株式会社は，定款を変更する株主総会の決議について，当該株主総会において議決権を行使することができる株主の議決権の3分の1以上を有する株主が出席し，出席した当該株主の議決権の3分の2以上に当たる多数をもって行うこととする旨を定款で定めることができる。

　ウ　株式会社は，株主総会に出席することができる代理人の数の制限をすることはできない。

　エ　株式会社は，株主が他人のために株式を有する者でないときは，当該株主が株主総会においてその有する議決権を統一しないで行使することを拒むことができる。

　オ　定時株主総会は，毎事業年度の終了の日から3か月以内に招集しなければならない。

　1　アイ　　　2　アオ　　　3　イエ　　　4　ウエ　　　5　ウオ

第31問　監査役に関する次のアからオまでの記述のうち，**正しいもの**の組合せは，後記１から５までのうち，どれか。

　　ア　成年被後見人は，監査役となることができない。
　　イ　指名委員会等設置会社は，監査役を置いてはならない。
　　ウ　監査役会設置会社においては，監査役は，３人以上で，そのうち３分の２以上は，社外監査役でなければならない。
　　エ　監査役設置会社の監査役は，当該会社の子会社の会計参与を兼ねることができない。
　　オ　監査役設置会社の監査役は，正当な理由がなければ，株主総会の決議によって解任することができない。

　　１　アウ　　　　２　アオ　　　　３　イウ　　　　４　イエ　　　　５　エオ

第32問　株主総会の決議によって解散したことにより清算が開始した場合に関する次の
　　　　アからオまでの記述のうち，**誤っているもの**の組合せは，後記１から５までのうち，
　　　　どれか。

　　　ア　清算人は，清算株式会社の財産がその債務を完済するのに足りないことが明ら
　　　　　かになったときは，直ちに破産手続開始の申立てをしなければならない。
　　　イ　裁判所が選任した清算人は，重要な事由があるときは，株主総会の決議によっ
　　　　　て解任することができる。
　　　ウ　裁判所は，利害関係人の申立てにより，清算人会設置会社でない清算株式会社
　　　　　の清算人に代わって当該清算株式会社の帳簿並びにその事業及び清算に関する重
　　　　　要な資料を保存する者を選任することができる。
　　　エ　清算株式会社は，会計監査人を置くことができる。
　　　オ　清算株式会社の特別支配株主は，特別支配株主の株式等売渡請求をすることが
　　　　　できない。

　　　１　アエ　　　　２　アオ　　　　３　イウ　　　　４　イエ　　　　５　ウオ

第33問　持分会社に関する次のアからオまでの記述のうち，**正しいもの**の組合せは，後記1から5までのうち，どれか。

ア　合同会社は，各事業年度に係る貸借対照表の作成後遅滞なく，当該貸借対照表を公告しなければならない。

イ　合資会社の有限責任社員は，労務や信用を出資の目的とすることはできない。

ウ　合名会社が合同会社となるためには，組織変更計画を作成しなければならない。

エ　法人が合同会社の業務を執行する社員である場合には，当該法人は，当該業務を執行する社員の職務を行うべき者を選任し，その者の氏名及び住所を他の社員に通知しなければならない。

オ　既に合資会社に出資の履行をした有限責任社員は，当該合資会社の財産に対する強制執行がその効を奏しなかった場合には，連帯して，当該合資会社の債務を弁済する責任を負う。

1　アウ　　　　2　アオ　　　　3　イウ　　　　4　イエ　　　　5　エオ

第34問　株式会社の組織再編行為に関する次のアからオまでの記述のうち，**正しいもの**の組合せは，後記1から5までのうち，どれか。

ア　解散したことにより清算をする株式会社は，当該株式会社を吸収合併存続株式会社とする吸収合併をすることができない。

イ　吸収合併において，吸収合併存続株式会社は，吸収合併消滅株式会社の株主に対して，合併対価を交付しないこととすることができない。

ウ　新設合併契約を承認した新設合併消滅株式会社の株主総会の決議に瑕疵があることを理由とする新設合併の無効の訴えは，当該新設合併消滅株式会社を被告としなければならない。

エ　吸収分割において，吸収分割株式会社が株主総会の決議によって吸収分割契約の承認を受けなければならないときは，当該株主総会において議決権を行使することができない株主は，当該吸収分割株式会社に対し，自己の有する株式を公正な価格で買い取ることを請求することができる。

オ　株式交換完全親株式会社が株式交換に際して株式交換完全子会社の株主に対して交付する対価が金銭のみである場合には，当該株式交換完全親株式会社の債権者は，当該株式交換完全親株式会社に対し，当該株式交換について異議を述べることができない。

1　アイ　　　　2　アエ　　　　3　イウ　　　　4　ウオ　　　　5　エオ

第35問　商行為に関する次のアからオまでの記述のうち，**誤っているもの**の組合せは，後記１から５までのうち，どれか。

　ア　商行為の委任による代理権は，本人の死亡によって消滅する。

　イ　商人間の売買において，当該売買の目的物が品質に関して契約の内容に適合しないことにつき売主が悪意であった場合において，その不適合を直ちに発見することができないときであって，買主が当該目的物の受領後６か月以内に当該不適合を発見したときは，買主は，売主に対してその旨の通知を発することを怠ったときであっても，売主に対し，当該不適合を理由とする損害賠償の請求をすることができる。

　ウ　匿名組合員の出資は，匿名組合員全員の共有に属する。

　エ　商法上の仲立人は，媒介した商行為について，当事者の一方の氏名又は名称をその相手方に示さなかったときは，当該相手方に対して自ら履行をする責任を負う。

　オ　問屋は，取引所の相場がある物品の販売の委託を受けたときは，自ら買主となることができる。

　　1　アウ　　　　2　アエ　　　　3　イエ　　　　4　イオ　　　　5　ウオ

第1問　訴訟委任に基づく訴訟代理人に関する次のアからオまでの記述のうち，**誤っている**ものの組合せは，後記1から5までのうち，どれか。

　　ア　簡易裁判所においては，その許可を得て，当事者の親族を訴訟代理人とすることができる。

　　イ　相手方の具体的な事実の主張について訴訟代理人がした認否は，当事者が直ちにこれを取り消したときは，その効力を生じない。

　　ウ　訴訟代理権は，委任をした当事者が死亡した場合には，消滅する。

　　エ　当事者が訴訟代理人を解任したときであっても，訴訟代理権の消滅は，本人又は代理人から相手方に通知をしなければ，その効力を生じない。

　　オ　訴訟代理人が委任を受けた事件について控訴をするには，特別の委任を要しない。

　　1　アウ　　　　2　アエ　　　　3　イエ　　　　4　イオ　　　　5　ウオ

第2問 複雑訴訟形態に関する次のアからオまでの記述のうち，**正しいもの**の組合せは，後記1から5までのうち，どれか。

ア 一の訴えで一人に対して数個の請求をする場合において，その訴えで主張する利益が各請求について共通であるときは，各請求の価額を合算せずに，訴訟の目的の価額を算定する。

イ 数人に対する一の訴えについては，訴訟の目的である権利又は義務が同種であって事実上及び法律上同種の原因に基づくときは，一の請求について管轄権を有する裁判所にその訴えを提起することができる。

ウ 一の訴えで一人に対して数個の請求がされた場合において，原告の申出があったときは，弁論及び裁判は，分離しないでしなければならない。

エ 相手方が本案について口頭弁論をした後は，相手方の同意を得なければ，訴えの追加的変更をすることができない。

オ 裁判所は，当事者を異にする事件について口頭弁論の併合を命じた場合において，その前に尋問をした証人について，尋問の機会がなかった当事者が尋問の申出をしたときは，その尋問をしなければならない。

1 アウ   2 アオ   3 イウ   4 イエ   5 エオ

第3問 当事者の出頭に関する次のアからオまでの記述のうち，**正しいもの**の組合せは，後記1から5までのうち，どれか。

ア　原告が最初にすべき口頭弁論の期日に出頭しないときであっても，裁判所は，原告が提出した訴状に記載した事項を陳述したものとみなし，その期日に出頭した被告に弁論をさせることができる。

イ　訴えの取下げに被告の同意が必要な場合において，被告が出頭しない口頭弁論の期日で原告が口頭で訴えを取り下げ，その期日から2週間以内に被告が異議を述べないときは，被告は，訴えの取下げに同意したものとみなされる。

ウ　当事者本人を尋問する場合において，その当事者が正当な理由なく出頭しなかったときは，裁判所は，尋問事項に関する相手方の主張を真実と認めなければならない。

エ　裁判所は，当事者の一方が弁論準備手続の期日に出頭した場合に限り，裁判所及び当事者双方が音声の送受信により同時に通話をすることができる方法によって，その期日における手続を行うことができる。

オ　被告が口頭弁論の期日に出頭したが，原告の主張した事実を争わず，その他何らの防御の方法をも提出しない場合において，原告の請求を認容するときは，裁判所は，判決書の原本に基づかないで判決を言い渡すことができる。

1　アウ　　　2　アオ　　　3　イエ　　　4　イオ　　　5　ウエ

第4問　裁判によらない訴訟の完結に関する次のアからオまでの記述のうち，**判例の趣旨**に照らし正しいものの組合せは，後記1から5までのうち，どれか。

　ア　請求の放棄は，書面でしなければならない。

　イ　請求の認諾を調書に記載したときは，その記載は，確定判決と同一の効力を有する。

　ウ　当事者間における訴えの取下げに関する裁判外の合意の成立が証拠上認められるときは，訴えの取下げがあったものとみなされる。

　エ　裁判所は，口頭弁論を終結した後判決の言渡しまでの間に和解を試みるときは，口頭弁論を再開しなければならない。

　オ　裁判所が当事者の共同の申立てにより事件の解決のために適当な和解条項を定めるときは，その和解条項の定めは，口頭弁論，弁論準備手続又は和解の期日における告知その他相当と認める方法による告知によってする。

　　1　アウ　　　2　アエ　　　3　イウ　　　4　イオ　　　5　エオ

第5問　少額訴訟に関する次のアからオまでの記述のうち，**誤っているもの**の組合せは，後記1から5までのうち，どれか。

ア　公示送達によらなければ被告に対する最初にすべき口頭弁論の期日の呼出しをすることができないときは，裁判所は，訴訟を通常の手続により審理及び裁判をする旨の決定をしなければならない。

イ　被告は，最初にすべき口頭弁論の期日において弁論をした後であっても，口頭弁論の終結に至るまで，訴訟を通常の手続に移行させる旨の申述をすることができる。

ウ　証人の尋問は，宣誓をさせないですることができる。

エ　裁判所は，相当と認めるときは，裁判所及び当事者双方と証人とが音声の送受信により同時に通話をすることができる方法によって，証人を尋問することができる。

オ　少額訴訟の終局判決に対しては，控訴をすることができる。

　1　アウ　　　　2　アエ　　　　3　イエ　　　　4　イオ　　　　5　ウオ

第6問 民事保全に関する次のアからオまでの記述のうち，**誤っているもの**の組合せは，後記1から5までのうち，どれか。

ア　裁判所は，口頭弁論又は債務者が立ち会うことができる審尋の期日を経ることにより仮処分命令の申立ての目的を達することができない事情があるときは，その期日を経ずに，仮の地位を定める仮処分命令を発することができる。

イ　保全命令に対しては，その命令につき不服のある債務者は，即時抗告をすることができる。

ウ　保全命令が発せられた後であっても，保全命令の申立てを取り下げるには，債務者の同意を得ることを要しない。

エ　物の給付を命ずる仮処分の執行については，仮処分命令が債務名義とみなされる。

オ　不動産の占有移転禁止の仮処分命令の執行は，債務者に対してその不動産の占有の移転を禁止することを命ずるとともに，その旨の登記をする方法により行う。

1　アイ　　　2　アエ　　　3　イオ　　　4　ウエ　　　5　ウオ

第7問　民事執行における債務者の財産状況の調査に関する次のアからオまでの記述のうち，**正しいもの**の組合せは，後記1から5までのうち，どれか。

ア　債務者の財産について一般の先取特権を有する債権者であっても，その被担保債権について執行力のある債務名義の正本を有しない場合には，当該債務者について，財産開示手続を申し立てることができない。

イ　財産開示手続の申立人以外の者であっても，債務者に対する金銭債権について執行力のある債務名義の正本を有する債権者は，当該財産開示手続に係る事件の記録中財産開示期日に関する部分の閲覧をすることができる。

ウ　貸金返還請求権について執行力のある債務名義の正本を有する債権者は，第三者からの情報取得手続において，債務者の給与債権に係る情報の提供を求めることができる。

エ　債務者の預貯金債権に関する金融機関からの情報取得手続は，先に財産開示期日における手続が実施されていなければ，申し立てることができない。

オ　第三者からの情報取得手続の申立人は，当該手続において得られた債務者の財産に関する情報を，当該債務者に対する債権をその本旨に従って行使する目的以外の目的のために利用し，又は提供してはならない。

1　アウ　　　2　アエ　　　3　イウ　　　4　イオ　　　5　エオ

第8問　司法書士又は司法書士法人に関する次のアからオまでの記述のうち，**誤っている**ものの組合せは，後記1から5までのうち，どれか。

ア　司法書士は，日本司法書士会連合会が備える名簿に登録を受けることにより，二以上の事務所を設けることができる。

イ　司法書士は，正当な事由がある場合でなければ，簡易裁判所に提出する書類を作成する業務の依頼を拒むことができない。

ウ　司法書士法人は，従たる事務所に社員を常駐させることを要しない。

エ　司法書士法人の社員は，第三者のためにその司法書士法人の業務の範囲に属する業務を行ってはならない。

オ　司法書士法人は，その主たる事務所の所在地において設立の登記をすることによって，当該所在地の司法書士会の会員となる。

1　アウ　　　2　アオ　　　3　イウ　　　4　イエ　　　5　エオ

第9問　担保（保証）供託に関する次のアからオまでの記述のうち，**正しいもの**の組合せは，後記1から5までのうち，どれか。

　　ア　民事訴訟における原告が供託所に金銭を供託する方法により訴訟費用の担保を立てる場合には，被告の同意がない限り，原告以外の第三者が供託者となることはできない。

　　イ　民事訴訟における被告が訴訟費用の担保として供託された供託金の払渡しを受けようとする場合には，裁判所の配当手続によらず，供託所に対して還付を請求する方法によらなければならない。

　　ウ　民事訴訟における当事者が供託する方法により仮執行免脱の担保を立てる場合には，有価証券を供託物とすることができない。

　　エ　営業保証供託として供託した供託金の差替えは，当該供託金取戻請求権が差し押さえられている場合であっても，することができる。

　　オ　営業保証供託については，担保官庁の承認があっても，営業主以外の第三者が供託者となることはできない。

　　1　アウ　　　2　アエ　　　3　イエ　　　4　イオ　　　5　ウオ

第10問 執行供託に関する次のアからオまでの記述のうち，**正しいもの**の組合せは，後記1から5までのうち，どれか。

ア　金銭債権が差し押さえられた場合において，第三債務者が差押金額に相当する金銭を供託するときは，債務者の住所地の供託所にしなければならない。

イ　金銭債権が差し押さえられた場合において，第三債務者が差押金額に相当する金銭を供託するときは，供託書の「被供託者の住所氏名」欄には，差押債権者の氏名又は名称及び住所を記載しなければならない。

ウ　金銭債権が差し押さえられた場合において，第三債務者が差押金額に相当する金銭を供託したときは，供託官は，その事情を執行裁判所に届け出なければならない。

エ　金銭債権の一部が差し押さえられた場合において，第三債務者が当該金銭債権の全額に相当する金銭を供託したときは，執行債務者は，当該差押えに係る金額を超える部分について，供託を受諾して，還付請求をすることができる。

オ　金銭債権に対して滞納処分による差押えのみがされた場合には，第三債務者は，差押金額に相当する金銭を供託することができない。

1　アウ　　　2　アエ　　　3　イウ　　　4　イオ　　　5　エオ

第11問　供託物払渡請求権の消滅時効に関する次のアからオまでの記述のうち，正しい
　　　ものの組合せは，後記1から5までのうち，どれか。

　　ア　受領拒絶を原因とする弁済供託における供託物還付請求権は，被供託者に供託
　　　の通知が到達した時から10年間行使しない場合には，時効によって消滅する。
　　イ　弁済供託の被供託者から供託所に対し，供託を受諾する旨を記載した書面が提
　　　出された場合であっても，供託物還付請求権の消滅時効の更新の効力を生じない。
　　ウ　供託物取戻請求権の消滅時効の更新の効力が生じた場合には，同一の供託に係
　　　る供託物還付請求権の消滅時効は，その時から新たに進行する。
　　エ　家賃の5か月分につき一括してされた弁済供託の1か月分の供託金について取
　　　戻請求があり，これが払い渡された場合には，他の4か月分の供託金取戻請求権
　　　の消滅時効は，その時から新たに進行する。
　　オ　供託者の請求により当該供託に関する書類の全部が閲覧に供された場合であっ
　　　ても，供託物取戻請求権の消滅時効の更新の効力を生じない。

　　1　アイ　　　　2　アウ　　　　3　イエ　　　　4　ウオ　　　　5　エオ

第12問 次のアからオまでの登記のうち，**主登記によってするもの**の組合せは，後記１から５までのうち，どれか。

ア　根抵当権の共有者間における根抵当権の優先の定めの登記

イ　賃借権が敷地利用権である場合にする敷地権である旨の登記

ウ　民法第398条の８第１項の合意の登記

エ　仮登記がされた所有権移転請求権の移転の登記

オ　抵当権の順位の変更の登記

（参考）

　民法

　　第398条の８　元本の確定前に根抵当権者について相続が開始したときは，根抵当権は，相続開始の時に存する債権のほか，相続人と根抵当権設定者との合意により定めた相続人が相続の開始後に取得する債権を担保する。

　　２〜４（略）

1　アイ　　　　2　アウ　　　　3　イオ　　　　4　ウエ　　　　5　エオ

第13問　登記の申請人に関する次のアからオまでの記述のうち，**正しいもの**の組合せは，後記１から５までのうち，どれか。

　　　なお，判決による登記及び代位による登記については考慮しないものとする。

ア　Ａを所有権の登記名義人とする甲土地に，Ｂを抵当権者とする抵当権の設定の登記がされており，当該抵当権の設定の登記についてＢが死亡した時に抵当権は消滅するとの定めの登記がされている場合において，その後，Ｂが死亡し，当該抵当権が消滅したときは，Ａは，単独で，当該抵当権の設定の登記の抹消を申請することができる。

イ　Ａを根抵当権者とする元本確定前の根抵当権の債務者Ｂが破産手続開始の決定を受けた場合において，Ｃが当該根抵当権の被担保債権を代位弁済したときは，Ｃは，単独で，当該根抵当権の移転の登記の申請と併せて当該根抵当権の元本の確定の登記を申請することができる。

ウ　Ａを登記名義人とする地上権の設定の登記がされている甲土地について，Ａが当該地上権をＡの相続人であるＢに遺贈する旨の遺言書を作成した場合において，その後，Ａが死亡したときは，Ｂは，単独で，遺贈を登記原因とするＡからＢへの地上権の移転の登記を申請することができる。

エ　Ａを委託者とし，Ｂ及びＣを受託者とする所有権の移転の登記及び信託の登記がされている甲土地について，Ｂが受託者を辞任し，その任務が終了した場合には，Ｃは，単独で，Ｂの任務の終了による権利の変更の登記を申請することができる。

オ　Ａを所有権の登記名義人とする甲土地について，売買を登記原因とするＡからＢへの所有権の移転の登記手続を行う旨の公正証書が作成された場合には，Ｂは，当該公正証書を添付情報として提供したとしても，単独で，甲土地についてＡからＢへの所有権の移転の登記を申請することはできない。

1　アイ　　　2　アオ　　　3　イウ　　　4　ウエ　　　5　エオ

第14問　代位による登記に関する次のアからオまでの記述のうち，**正しいもの**の組合せは，後記１から５までのうち，どれか。

ア　Ａが所有権の登記名義人である甲不動産について，ＡからＢへ，ＢからＣへと順次売買がされたが，Ｂが所有権の移転の登記の申請に協力しない場合において，ＣがＢに代位してＡと共同してＡからＢへの所有権の移転の登記の申請をするときに提供すべき代位原因を証する情報は，ＢからＣへの所有権の移転の登記手続を命ずる旨の確定判決の正本でなければならない。

イ　Ａが所有権の登記名義人である甲不動産について，Ｂを抵当権者とし，Ｃを債務者とする抵当権の設定の登記がされている場合において，Ｃの住所に変更が生じたときは，Ｂは，Ａに代位して，単独で，Ｃの債務者の住所の変更の登記を申請することができる。

ウ　売買を原因とするＡからＢへの所有権の移転の登記と同時にした買戻しの特約の登記がされている甲不動産について，その後，Ｃを抵当権者とする抵当権の設定の登記がされ，当該抵当権の担保不動産競売開始決定に基づく差押えの登記がされた場合において，ＣがＢに代位してＡと共同して買戻しの特約の登記の抹消を申請するときは，代位原因を証する情報の提供を要しない。

エ　Ａが所有権の登記名義人である甲不動産について，Ａが死亡し，その相続人がＢである場合において，Ｂの債権者であるＣが，Ｂに代位して相続を原因とするＡからＢへの所有権の移転の登記を申請し，当該登記が完了したときは，登記官は，Ｂ及びＣに対して登記が完了した旨を通知しなければならない。

オ　Ａが所有権の登記名義人である甲不動産について，Ａが死亡し，その相続人がＢである場合において，Ｂの債権者であるＣが，Ｂに代位して相続を原因とするＡからＢへの所有権の移転の登記を申請し，当該登記が完了したときは，Ｃに対して登記識別情報が通知される。

１　アウ　　　２　アオ　　　３　イエ　　　４　イオ　　　５　ウエ

第15問　不動産登記の申請の却下又は取下げに関する次のアからオまでの記述のうち，正しいものの組合せは，後記1から5までのうち，どれか。

　ア　申請代理人が甲土地の所有権の移転の登記の申請を取り下げて，当該申請の際に納付した印紙の再使用証明を受けた場合には，当該申請代理人は，当該申請の申請人以外の者を申請人とする甲土地と同一の登記所の管轄区域内にある乙土地の所有権の移転の登記の申請のために，当該印紙を使用することはできない。

　イ　法務大臣の定めるところにより電子情報処理組織を使用する方法により登記の申請をした場合において，当該申請を取り下げるときは，当該申請を取り下げる旨の情報を記載した書面を登記所に提出する方法によることができる。

　ウ　「承役地の所有者は承役地の浸冠水その他の影響について一切異議求償等を申立てない」旨の特約を申請情報として地役権の設定の登記を申請した場合には，当該申請は却下される。

　エ　書面申請の方法により登記の申請をした場合において，当該申請が却下されたときは，当該申請の申請書は還付されない。

　オ　外国に住所を有する登記義務者が登記識別情報を提供することができないために事前通知による手続を利用して登記の申請をする場合において，登記官が事前通知を発送した日から2週間内に当該登記義務者から申請の内容が真実である旨の申出がされなかったときは，当該申請は却下される。

　1　アイ　　　　2　アエ　　　　3　イオ　　　　4　ウエ　　　　5　ウオ

第16問 登記原因証明情報に関する次のアからオまでの記述のうち，**正しいものの組合**せは，後記1から5までのうち，どれか。

ア 法令又は契約により一定の期間を経過した後に甲建物を取り壊すべきことが明らかな場合において，甲建物を取り壊すこととなる時に当該建物の賃貸借が終了する旨を定めた賃借権の設定の登記を申請するときは，登記原因証明情報として，甲建物を取り壊すべき事由が記載された公正証書の謄本を提供しなければならない。

イ Ａが，Ｂに甲土地を遺贈する旨の自筆証書による遺言を作成し，その遺言書が遺言書保管所に保管されている場合において，Ａが死亡し，Ｂが当該遺言書に基づいて甲土地についてＡからＢへの所有権の移転の登記を申請するときは，当該申請の登記原因証明情報のうちＡの死亡を証する情報として，遺言書情報証明書を提供することができる。

ウ 売買を原因とするＡからＢへの所有権の移転の登記と同時にした買戻しの特約の登記がされている甲不動産について，買戻しの特約が付された売買契約の日から10年を経過したことにより，Ｂが単独で当該買戻しの特約の登記の抹消を申請する場合には，登記原因証明情報を提供することを要しない。

エ Ａを所有権の登記名義人とする甲土地について，ＡからＢへの所有権の移転の仮登記を命ずる処分の決定がされた場合において，Ｂが単独で当該決定に基づいて当該仮登記の申請をするときは，登記原因証明情報として，当該仮登記を命ずる処分の決定書の正本を提供しなければならない。

オ Ａを所有権の登記名義人とする甲建物について，Ａの配偶者であるＢが，Ａが死亡した後，甲建物に配偶者居住権の設定の登記を申請する場合には，登記原因証明情報として，Ａ及びＢが婚姻していたことを証する市町村長が職務上作成した情報を提供しなければならない。

1 アイ　　　2 アウ　　　3 イオ　　　4 ウエ　　　5 エオ

第17問　書面申請における印鑑に関する証明書の添付に関する次のアからオまでの記述のうち，**誤っているもの**の組合せは，後記1から5までのうち，どれか。

なお，A，B及びCは自然人とし，いずれの申請においても必要な登記識別情報は提供されているものとする。

ア　Aが所有権の登記名義人である甲土地について，AからBへの所有権の移転の登記が申請されている場合において，当該登記が完了する前に当事者の登記申請意思の撤回を理由として当該申請を取り下げるときは，当該申請を取り下げる旨の情報を記載した書面にA及びBの印鑑に関する証明書を添付することを要する。

イ　Aが所有権の登記名義人である甲土地について，Bを質権者とし，Aを債務者とする質権の設定の登記がされている場合において，CがAの債務を免責的に引き受けたことにより当該質権の債務者の変更の登記を申請するときは，Aの印鑑に関する証明書を添付することを要しない。

ウ　Aが所有権の登記名義人である甲土地について，Aが単独で甲土地を自己信託の対象とする方法によってされた信託による権利の変更の登記を申請する場合には，Aの印鑑に関する証明書を添付することを要しない。

エ　A及びBが所有権の登記名義人である甲土地について，共有物分割禁止の定めに係る権利の変更の登記を申請する場合には，A及びBの印鑑に関する証明書を添付することを要する。

オ　Aが登記名義人である所有権の保存の登記がされているが，所有権の移転の登記がされていない甲建物について，Aが単独で当該所有権の保存の登記の抹消を申請する場合には，Aの印鑑に関する証明書を添付することを要する。

1　アウ　　　2　アエ　　　3　イエ　　　4　イオ　　　5　ウオ

第18問 登記名義人の名称又は住所の変更の登記に関する次のアからオまでの記述のうち，**誤っているもの**の組合せは，後記1から5までのうち，どれか。

ア　所有権の登記名義人が地上権の設定の登記の抹消の申請をする場合において，住所の変更により当該所有権の登記名義人の現在の住所と登記記録上の住所とが異なるときは，当該申請をする前提として，当該所有権の登記名義人の住所の変更の登記を申請しなければならない。

イ　仮差押えの登記がされた不動産について，当該仮差押えが本執行に移行してされる強制競売の申立てがされる前に仮差押債権者であるAの住所の変更があった場合には，Aは，当該不動産の仮差押債権者の住所の変更の登記を申請することができる。

ウ　甲不動産の所有権の登記名義人である特例有限会社が株式会社へ移行した場合には，甲不動産についてする所有権の登記名義人の名称の変更の登記の登記原因は，組織変更である。

エ　Aを所有権の登記名義人とする甲土地について，AがBに対して甲土地の所有権移転登記手続をする旨の和解調書の正本を提供して，AからBへの所有権の移転の登記の申請をする場合において，住所の変更によりAの現在の住所と登記記録上の住所とが異なるときであっても，当該和解調書の当事者の表示にAの変更後の住所と登記記録上の住所とが併記されているときは，Bは，当該申請をする前提として，Aの住所の変更の登記を申請することを要しない。

オ　Aを所有権の登記名義人とする甲土地について，Aの破産管財人Bが甲土地を任意売却し，所有権の移転の登記を申請する場合において，住所の変更によりAの現在の住所と登記記録上の住所とが異なるときは，Bは，当該申請をする前提として，Aの住所の変更の登記を申請しなければならない。

1　アイ　　　2　アオ　　　3　イエ　　　4　ウエ　　　5　ウオ

第19問　所有権の移転の登記に関する次のアからオまでの記述のうち，**正しいもの**の組合せは，後記1から5までのうち，どれか。

ア　甲土地の所有権の登記名義人であるAが死亡し，その相続人がB及びCである場合において，遺産分割協議によりB及びCが各2分の1の持分の割合で甲土地を取得したときは，AからBへの相続を原因とする所有権の一部移転の登記と，AからCへの相続を原因とするAの共有持分の全部移転の登記とは，それぞれの登記の前後を明らかにして同時に申請することができる。

イ　甲土地の所有権の登記名義人である株式会社Aを吸収合併消滅会社とし，株式会社Bを吸収合併存続会社とする吸収合併がされた場合において，甲土地について合併を原因とする所有権の移転の登記の申請をするときは，登記原因証明情報として，合併の記載のあるAの登記事項証明書を提供しなければならない。

ウ　Aに保佐人B及び保佐監督人Cが選任されている場合において，Bがその所有する甲不動産をAに売却したときは，A及びBは，AB間の甲不動産の売買についてCの同意を証する情報を提供して，BからAへの売買を原因とする所有権の移転の登記の申請をすることができる。

エ　Aを所有権の登記名義人とする甲不動産について，AがBに死因贈与をし，その執行者としてCを指定する旨の合意が公正証書でない書面によってされた場合において，Aが死亡し，Cが死因贈与を原因とするAからBへの所有権の移転の登記を申請するときは，代理権限を証する情報の一部として，当該書面に押印されたAの印鑑に関する証明書又はAの相続人全員の承諾書に押された印鑑に関する証明書を提供しなければならない。

オ　Aを所有権の登記名義人とする甲土地について，Aが死亡し，その相続人がB及びCであるが，Bのために不在者の財産の管理人Dが選任されている場合において，CD間の遺産分割協議により，Cが単独で甲土地の所有権を取得し，遺産分割を原因とする所有権の移転の登記の申請をするときは，当該遺産分割協議についての家庭裁判所のDに対する許可があったことを証する情報を提供しなければならない。

1　アイ　　　　2　アオ　　　　3　イウ　　　　4　ウエ　　　　5　エオ

第20問　次の対話は，法定相続分に応じてされた相続による所有権の移転の登記（以下「法定相続分での相続登記」という。）がされている場合の登記手続に関する教授と学生の対話である。教授の質問に対する次のアからオまでの学生の解答のうち，正しいものの組合せは，後記1から5までのうち，どれか。

教授：　今日は，甲土地を所有するAが死亡し，甲土地について法定相続分での相続登記がされている場合において，Aの相続人間で遺産分割協議が成立し，相続人の一人であるBが甲土地の所有権を単独で取得したという事例について考えてみましょう。

　　　　当該事例において，Bが，他の相続人と共同して，他の相続人からBへの持分全部の移転の登記を申請することはできますか。

学生：ア　いいえ，できません。

教授：　それでは，当該事例において，甲土地をBの単独所有とする所有権の更正の登記を申請する場合について考えていきましょう。当該所有権の更正の登記の登記原因は何になりますか。

学生：イ　登記原因は錯誤になります。

教授：　当該所有権の更正の登記は，誰から申請することができますか。

学生：ウ　Bが，単独で申請することができます。

教授：　では，当該事例において，法定相続分での相続登記がされた後に，甲土地の所有権全部を目的として抵当権の設定の登記がされた場合において，当該所有権の更正の登記の申請をするときは，添付情報として当該抵当権の抵当権者の承諾を証する情報を提供しなければなりませんか。

学生：エ　はい，当該承諾を証する情報を提供しなければなりません。

教授：　最後に，当該事例において，所有権の更正の登記が申請され，その登記が完了した場合には，当該登記の登記権利者に登記識別情報が通知されますか。

学生：オ　いいえ，登記識別情報は通知されません。

1　アイ　　　2　アオ　　　3　イウ　　　4　ウエ　　　5　エオ

第21問　区分建物についての登記に関する次のアからオまでの記述のうち，**正しいもの**の組合せは，後記1から5までのうち，どれか。

なお，敷地権である旨の登記がされている土地に関して建物の区分所有等に関する法律第22条第1項ただし書の規約はないものとする。

ア　敷地権のない区分建物の表題部所有者から所有権を取得した者が当該区分建物について所有権の保存の登記を申請する場合には，申請情報には登記原因及びその日付を記載することを要する。

イ　敷地権付き区分建物の表題部所有者Aが死亡し，その唯一の相続人であるBがCに当該区分建物を売却した場合には，Cは，自己を登記名義人とする所有権の保存の登記を申請することはできない。

ウ　Aが表題部所有者として記録されている所有権の登記がない敷地権付き区分建物について，当該区分建物及びその敷地権を目的として，Aを委託者とし，Bを受託者とする信託契約が締結された場合には，Bは，一の申請情報により，自らを所有者とする所有権の保存の登記及び信託の登記を申請することができる。

エ　敷地権付き区分建物が属する一棟の建物に共用部分である旨の登記がされた建物がある場合において，売買を原因とする当該区分建物の所有権の移転の登記を申請するときは，当該共用部分である旨の登記のされた建物の種類，構造及び床面積を申請情報の内容としなければならない。

オ　敷地権付き区分建物について，表題部所有者から所有権を取得した者を所有者とする所有権の保存の登記がされた後に，錯誤を原因として当該所有権の保存の登記の抹消がされた場合には，登記官は，その登記記録を閉鎖する。

（参考）

建物の区分所有等に関する法律

　第22条　敷地利用権が数人で有する所有権その他の権利である場合には，区分所有者は，その有する専有部分とその専有部分に係る敷地利用権とを分離して処分することができない。ただし，規約に別段の定めがあるときは，この限りでない。

　2・3　（略）

1　アイ　　　2　アオ　　　3　イウ　　　4　ウエ　　　5　エオ

第22問 抵当権又は根抵当権の登記に関する次のアからオまでの記述のうち，**正しいも**のの組合せは，後記1から5までのうち，どれか。

ア　Aを所有権の登記名義人とする甲土地について，Bを根抵当権者とし，Cを債務者とする根抵当権の設定の登記の申請をする場合には，当該申請の申請情報に記載されたCの住所を証する情報の提供を要する。

イ　Aを抵当権の登記名義人とする甲土地について，Aが甲土地の所有権を取得したことにより当該抵当権が混同により消滅した後，当該抵当権の設定の登記の抹消がされない間にAからBへの売買を原因とする所有権の移転の登記がされた場合には，Aは，単独で混同を登記原因とする当該抵当権の設定の登記の抹消の申請をすることができる。

ウ　Aを抵当権の登記名義人とする甲土地について，Aが甲土地の所有権を取得したことにより当該抵当権が混同により消滅した後，当該抵当権の設定の登記の抹消がされない間にAが死亡し，その相続人がB及びCである場合において，混同を登記原因として当該抵当権の設定の登記の抹消を申請するときは，B及びCを登記義務者としなければならない。

エ　Aを所有権の登記名義人とする甲土地に抵当権の設定の登記がされている場合において，Aが死亡した後に当該抵当権が消滅したときは，Aの唯一の相続人であるBは，当該抵当権の設定の登記の抹消の前提として，甲土地について相続を原因とする所有権の移転の登記を申請することを要しない。

オ　Aを所有権の登記名義人とする甲土地について，Bを債務者とする根抵当権の設定の登記がされた後，Bの住所について地番変更を伴わない行政区画の変更がされた場合には，乙土地について甲土地と共同根抵当とする根抵当権の設定の登記の前提として，甲土地についてBの住所の変更の登記を申請することを要しない。

1　アエ　　　2　アオ　　　3　イウ　　　4　イエ　　　5　ウオ

第23問　抹消された登記の回復に関する次のアからオまでの記述のうち，**正しいもの**の組合せは，後記1から5までのうち，どれか。

なお，登記官の職権による登記の回復については考慮しないものとし，租税特別措置法等の特例法による税の減免規定の適用はないものとする。

ア　Aが所有権の登記名義人である甲土地について，Bによる滞納処分による差押えの登記がされ，次いでAからCへの所有権の移転の仮登記がされた後に，当該差押えの登記が抹消され，次いで当該仮登記に基づく本登記がされた場合において，Bが，抹消された当該差押えの登記の回復の嘱託をするときは，Bは，Cの承諾を証する情報を提供しなければならない。

イ　自然人であるAからBへの所有権の移転の登記がされてBが所有権の登記名義人となった甲土地について，当該所有権の移転の登記が抹消され，その後，当該所有権の移転の登記の回復を申請する場合には，Aの印鑑に関する証明書の提供を要しない。

ウ　Aを抵当権者とし，Bを抵当権設定者兼債務者とする抵当権の設定の登記がされている甲土地について，Bが被担保債権の弁済をする前に，抵当権設定契約を適法に合意解除し，A及びBの申請により当該抵当権の設定の登記が抹消された場合には，A及びBは，抵当権の設定の登記の回復の申請をすることはできない。

エ　Aが所有権の登記名義人であり，Bが抵当権の登記名義人である甲土地について，AB間の抵当権設定契約の解除を原因として抵当権の設定の登記の抹消がされ，その後，AからCへの所有権の移転の登記がされた場合において，当該抵当権の設定の登記の回復の申請をするときは，Bを登記権利者とし，Aを登記義務者として当該申請をしなければならない。

オ　債権額を1000万円とする抵当権の設定の登記を回復する登記の登録免許税の額は，4万円である。

1　アウ　　　2　アオ　　　3　イウ　　　4　イエ　　　5　エオ

第24問 登記記録に次のような記録（抜粋）がある甲土地について，次のアからオまでの記述のうち，**第1欄に掲げる事由が生じたときに，B及びCが書面により共同して申請する登記に関する第2欄に掲げる記述が正しいもの**の組合せは，後記1から5までのうち，どれか。

なお，判決による登記，代位による登記及び仮登記を命ずる処分に基づく仮登記については，考慮しないものとする。また，租税特別措置法等の特例法による税の減免規定の適用はないものとする。

権 利 部 （ 甲 区 ）（ 所 有 権 に 関 す る 事 項 ）			
順位番号	登記の目的	受付年月日・受付番号	権利者その他の事項
1	所有権移転	令和6年4月1日第4000号	原因　令和6年4月1日贈与　所有者　A
2	所有権移転仮登記	令和6年5月1日第5000号	原因　令和6年5月1日売買　権利者　B
	余白	余白	余白

	第1欄	第2欄
ア	Bが，Cに対して，順位番号2番で仮登記がされた所有権を売却した。	登記は，本登記によってされる。
イ	B及びCが，順位番号2番で仮登記がされた所有権の売買の予約をした。	登記は，付記登記によってされる。
ウ	Bが，Cに対して，順位番号2番で仮登記がされた所有権を売却した。	添付情報として，Bの登記識別情報の提供を要する。
エ	B及びCが，順位番号2番で仮登記がされた所有権の売買の予約をした。	添付情報として，Cの住所を証する情報の提供を要しない。
オ	Bが，Cに対して，順位番号2番で仮登記がされた所有権を売却した。	登録免許税の額は，不動産の価額に1000分の10を乗じた額である。

1　アイ　　　2　アウ　　　3　イエ　　　4　ウオ　　　5　エオ

第25問　Aを所有権の登記名義人とする甲不動産についての処分禁止の登記に関する次のアからオまでの記述のうち，**正しいもの**の組合せは，後記1から5までのうち，どれか。

ア　Bが売買によりAから甲不動産の所有権を取得したが，甲不動産について，AからBへの所有権の移転の登記が未了の間にCを仮処分の債権者とする所有権の移転の登記請求権を保全する処分禁止の登記がされた後，Bの債権者であるDの代位によりAからBへの所有権の移転の登記がされた場合において，Cが，AからCへの所有権の移転の登記の申請と同時に，単独で当該処分禁止の登記に後れるBのための登記の抹消を申請するときは，その旨をB及びDに対しあらかじめ通知したことを証する情報を提供しなければならない。

イ　甲不動産について，Bを仮処分の債権者とする所有権の移転の登記請求権を保全する処分禁止の登記がされた後，Cを登記名義人とする抵当権の設定の登記がされた場合において，Bが，AからBへの所有権の移転の登記の申請と同時に，単独で当該抵当権の設定の登記の抹消を申請しなかったときは，当該所有権の移転の登記の申請は却下される。

ウ　甲不動産について，債務者の表示として「被相続人A相続人B」と記載された仮処分命令の決定書の正本を提供して所有権の移転の登記請求権を保全する処分禁止の登記が嘱託される場合には，当該処分禁止の登記の前提として，当該登記請求権の債権者であるCは，Bに代位して相続を原因とするAからBへの所有権の移転の登記を申請しなければならない。

エ　甲不動産について，Bを仮処分の債権者とする所有権の移転の登記請求権を保全する処分禁止の登記がされた後，登記官が，Bの申請に基づきAからBへの所有権の移転の登記及び当該処分禁止の登記に後れる登記の抹消をするときは，職権で，当該処分禁止の登記を抹消しなければならない。

オ　甲不動産について，Bを仮処分の債権者とする所有権の移転の登記請求権を保全する処分禁止の登記がされた後，当該登記請求権について保全の必要性が消滅したときは，A及びBは，解除を登記原因として当該処分禁止の登記の抹消を申請することができる。

1　アイ　　　　2　アエ　　　　3　イオ　　　　4　ウエ　　　　5　ウオ

第26問 不動産登記における審査請求に関する次のアからオまでの記述のうち，**誤って**いるものの組合せは，後記1から5までのうち，どれか。

ア　登記の申請を却下する処分に対する審査請求は，当該申請において提供された申請情報及びその添付情報の保存期間が経過した後もすることができる。

イ　法務局又は地方法務局の長は，必要があると認める場合には，審査請求人の申立てにより又は職権で，処分の執行の停止の措置をとることができる。

ウ　登記の申請をした者は，当該申請から相当の期間が経過したにもかかわらず，登記官が何らの処分をもしない場合には，審査請求をすることができる。

エ　審査請求人が死亡し，その相続人が審査請求人の地位を承継した場合には，当該相続人は，処分をした登記官を監督する法務局又は地方法務局の長に対し，書面でその旨を届け出なければならない。

オ　所有権の移転の登記が完了したが，当該登記が申請の権限を有しない者の申請によりされたものであると判明した場合には，そのことを理由として審査請求をすることができる。

1　アイ　　　　2　アエ　　　　3　イオ　　　　4　ウエ　　　　5　ウオ

第27問　登録免許税に関する次のアからオまでの記述のうち，**誤っているもの**の組合せは，後記１から５までのうち，どれか。

なお，租税特別措置法等の特例法による税の減免規定の適用はないものとする。

ア　一の申請情報により20個を超える不動産についてする錯誤による所有権の登記名義人の住所の更正の登記の登録免許税の額は，２万円である。

イ　信託の効力が生じた時から引き続き委託者のみを受益者とする信託の登記がされている不動産についてする受託者から受益者への所有権の移転の登記については，登録免許税が課されない。

ウ　所有権の登記名義人の住所が誤って登記された後に，当該登記名義人の住所について変更があった場合において，一の申請情報により当該登記名義人の住所の更正の登記と住所の変更の登記とを同時に申請するときの登録免許税の額は，不動産の個数１個につき2000円である。

エ　抵当権の信託の仮登記の登録免許税の額は，債権金額に1000分の１を乗じた額である。

オ　法定相続分に応じてされた相続による所有権の移転の登記がされている場合において，遺産分割協議により相続人の一人が所有権を取得したときの所有権の更正の登記の登録免許税の額は，不動産の個数１個につき1000円である。

1　アウ　　　　2　アオ　　　　3　イウ　　　　4　イエ　　　　5　エオ

第28問から第35問までの試験問題については，問題文に明記されている場合を除き，定款に法令の規定と異なる別段の定めがないものとして，解答してください。

第28問 未成年者及び後見人の登記に関する次のアからオまでの記述のうち，**正しいもの**の組合せは，後記１から５までのうち，どれか。

ア　未成年者の登記は，法定代理人の申請によってする。

イ　未成年者の登記においては，法定代理人の住所及び氏名をも登記しなければならない。

ウ　未成年者の登記をした未成年者が成年に達したことによる消滅の登記は，登記官が，職権ですることができる。

エ　後見人が被後見人のために営業を行う場合において，後見監督人がないときは，後見人の登記の申請書には，後見監督人がないことを証する書面を添付しなければならない。

オ　後見人の登記においては，後見人が法人であるときは，当該法人の代表者の氏名又は名称及び住所をも登記しなければならない。

１　アイ　　　　２　アエ　　　　３　イオ　　　　４　ウエ　　　　５　ウオ

第29問　株式会社の設立の登記に関する次のアからオまでの記述のうち，**誤っているも**
のの組合せは，後記1から5までのうち，どれか。

　　　ア　外国人が取締役会設置会社の設立時代表取締役に就任した場合において，当該
　　　　設立時代表取締役が就任を承諾したことを証する書面に署名しているときは，当
　　　　該会社の設立の登記の申請書には，市町村長の作成した印鑑証明書の添付に代え
　　　　て，当該書面の署名が本人のものであることの本国官憲の作成した証明書を添付
　　　　することができる。
　　　イ　株式会社の設立が発起設立であり，添付書面の記載から発起人及び設立時取締
　　　　役の全員が日本国内に住所を有していないことが明らかである場合において，発
　　　　起人及び設立時取締役以外の者名義の預金口座に出資に係る金銭が払い込まれた
　　　　ときは，当該設立の登記の申請書には，発起人が当該預金口座の名義人に対して
　　　　払込金の受領権限を委任したことを明らかにする書面を添付しなければならない。
　　　ウ　株式会社の設立が募集設立であり，当該設立の登記の申請書に設立時取締役及
　　　　び設立時監査役の調査報告を記載した書面及びその附属書類の添付を要する場合
　　　　において，設立時取締役のうちの1名が創立総会に欠席したときは，創立総会に
　　　　出席した設立時取締役及び設立時監査役の調査報告を記載した書面及びその附属
　　　　書類を添付すれば足りる。
　　　エ　株式会社の設立が発起設立であり，設立しようとする会計参与設置会社の定款
　　　　に設立時会計参与を定めなかった場合には，当該設立の登記の申請書には，設立
　　　　時会計参与の選任につき発起人全員の同意があったことを証する書面を添付しな
　　　　ければならない。
　　　オ　株式会社の設立の登記の申請が，電子情報処理組織を使用する方法により，公
　　　　証人への定款の認証の嘱託と同時にされた場合において，申請された日の当日中
　　　　に定款が認証されなかったときは，当該設立の登記の申請は却下される。

　　1　アイ　　　　2　アオ　　　　3　イウ　　　　4　ウエ　　　　5　エオ

第30問　監査役会設置会社の役員等に関する登記についての次のアからオまでの記述のうち，**誤っているもの**の組合せは，後記1から5までのうち，どれか。

ア　監査役会を置く旨の定款の定めを廃止した場合において，当該定めの廃止の登記を申請するときは，当該申請と同時に，社外監査役である旨の登記がされている監査役について，社外監査役である旨の登記の抹消を申請しなければならない。

イ　株主総会の決議により会計監査人を解任した場合には，会計監査人の退任による変更の登記の申請書には，監査役会が当該株主総会の議案の内容を決定したことを証する書面を添付しなければならない。

ウ　職務を怠ったことを理由として監査役会が会計監査人を解任した場合には，会計監査人の退任による変更の登記の申請書には，監査役の全員の同意があったことを証する書面を添付しなければならない。

エ　会計監査人が欠けた場合において，監査役会の決議によって一時会計監査人の職務を行うべき者を選任したときは，当該一時会計監査人の職務を行うべき者の就任による変更の登記の申請書には，一時会計監査人を選任した監査役会の議事録を添付しなければならない。

オ　一時会計監査人の職務を行うべき者に関する登記がされている場合において，会計監査人の就任による変更の登記を申請するときは，当該申請と同時に，一時会計監査人の職務を行うべき者に関する登記の抹消を申請しなければならない。

1　アイ　　　2　アウ　　　3　イオ　　　4　ウエ　　　5　エオ

第31問　株式会社の資本金の額の変更の登記に関する次のアからオまでの記述のうち，**正しいもの**の組合せは，後記1から5までのうち，どれか。

　　ア　減少後の資本金の額を0円とする資本金の額の変更の登記を申請することはできない。
　　イ　剰余金の資本組入れによる変更の登記の申請書には，当該組入れに係る剰余金の額が計上されていたことを証する書面を添付しなければならない。
　　ウ　資本金の額の減少による変更の登記があった場合において，当該資本金の額の減少に係る株主総会の決議に無効の原因があるときは，資本金の額の減少の無効の訴えに係る請求を認容する判決書の謄本及び確定証明書を添付して，当該変更の登記の抹消を申請しなければならない。
　　エ　定時株主総会において，当該定時株主総会の日における欠損の額を超えない範囲で資本金の額を減少する旨の決議が普通決議によりされた場合であっても，資本金の額の減少による変更の登記の申請書には，一定の欠損の額が存在することを証する書面を添付することを要しない。
　　オ　特例有限会社は，準備金の資本組入れを決議した株主総会の議事録を添付して，資本金の額の変更の登記を申請することができる。

　　1　アエ　　　　2　アオ　　　　3　イウ　　　　4　イオ　　　　5　ウエ

第32問　清算株式会社（特例有限会社を除く。）の登記に関する次のアからオまでの記述のうち，**誤っているもの**の組合せは，後記1から5までのうち，どれか。

ア　取締役が定款の定め又は株主総会の決議によらずに最初の清算人となった場合には，清算人の登記の申請書には，当該清算人が就任の承諾をしたことを証する書面の添付を要しない。

イ　裁判所が選任した者が最初の清算人となった場合には，清算人の登記の申請書には，当該清算人が就任の承諾をしたことを証する書面を添付しなければならない。

ウ　監査役の監査の範囲を会計に関するものに限定する旨の定款の定めのある監査役を置く清算株式会社において，当該定めを廃止した場合には，当該監査役の退任による変更の登記を申請しなければならない。

エ　清算の開始時に会社法上の公開会社であった清算株式会社は，定款を変更して公開会社でない会社となった場合であっても，監査役設置会社の定めの廃止の登記を申請することができない。

オ　清算の開始時に会社法上の公開会社であった清算株式会社である場合には，清算人の登記の申請書には，登記すべき事項として，清算人会設置会社である旨をも記載しなければならない。

1　アウ　　　2　アエ　　　3　イエ　　　4　イオ　　　5　ウオ

第33問　持分会社の登記に関する次のアからオまでの記述のうち，**誤っているもの**の組合せは，後記1から5までのうち，どれか。

ア　業務執行社員が2人以上ある場合には，合名会社における支店の設置の登記の申請書には，業務執行社員の過半数の一致を証する書面を添付しなければならない。

イ　合名会社においては，退社する社員の退社届及び退社する社員以外の社員全員の同意書を添付して，総社員の同意による社員の退社による変更の登記を申請することができる。

ウ　業務執行社員が2人以上ある場合には，合資会社における支配人の選任の登記の申請書には，業務執行社員の過半数の一致を証する書面を添付しなければならない。

エ　合同会社の代表社員が株式会社となる場合には，当該代表社員の職務執行者を当該株式会社において選任された当該株式会社の役員でない者とする設立の登記を申請することはできない。

オ　合同会社において，業務執行社員が業務を執行しないこととなった場合には，業務執行権の喪失による変更の登記を申請しなければならない。

1　アウ　　　2　アオ　　　3　イエ　　　4　イオ　　　5　ウエ

第34問　次の対話は，新設分割の登記に関する司法書士と補助者との対話である。司法
　　　　書士の質問に対する次のアからオまでの補助者の解答のうち，**正しいもの**の組合せ
　　　　は，後記１から５までのうち，どれか。
　　　　　なお，租税特別措置法等の特例法による税の減免規定の適用はないものとする。

司法書士：　国民の祝日である日を変更の年月日として，新設分割株式会社の新設
　　　　　　分割による変更の登記を申請することができますか。
補助者：ア　はい。この場合，新設分割計画で定められた効力発生日に新設分割の
　　　　　　効力が生じますので，新設分割株式会社については，当該日を変更の年
　　　　　　月日として，その後法定の期間内に変更の登記を申請することができま
　　　　　　す。
司法書士：　新設分割株式会社の本店所在地を管轄する登記所がＡ法務局，新設
　　　　　　分割設立株式会社の本店所在地を管轄する登記所がＢ法務局の場合に
　　　　　　は，新設分割による新設分割設立株式会社の設立の登記の申請書と新設
　　　　　　分割株式会社の変更の登記の申請書は，どの法務局に提出しますか。
補助者：イ　Ｂ法務局に対し，同時に提出します。
司法書士：　新設分割計画において，会社法第763条第１項第12号に掲げる事項
　　　　　　の定めがなく，かつ，新設分割株式会社が新設分割設立株式会社に承継
　　　　　　させる債務の全てにつき新設分割株式会社が重畳的債務引受けをする旨
　　　　　　の定めがある場合には，新設分割設立株式会社の設立の登記の申請書に
　　　　　　は，債権者保護手続を行ったことを証する書面を添付する必要がありま
　　　　　　すか。
補助者：ウ　この場合，当該登記の申請書に債権者保護手続を行ったことを証する
　　　　　　書面を添付する必要はありません。
司法書士：　新設分割設立株式会社の設立の登記の申請書に，新設分割計画が承認
　　　　　　されたことを証する書面として株主総会の議事録を添付する必要がない
　　　　　　のは，どのような場合ですか。
補助者：エ　いわゆる簡易分割又は略式分割の場合には，当該登記の申請書に株主
　　　　　　総会の議事録を添付する必要はありません。
司法書士：　最後に，新設分割設立株式会社の資本金の額が1000万円である場合
　　　　　　には，新設分割による新設分割設立株式会社の設立の登記をする場合の
　　　　　　登録免許税の額は，いくらですか。
補助者：オ　15万円です。

（参考）

会社法

第763条　一又は二以上の株式会社又は合同会社が新設分割をする場合において，新設分割により設立する会社（以下この編において「新設分割設立会社」という。）が株式会社であるときは，新設分割計画において，次に掲げる事項を定めなければならない。

一～十一　（略）

十二　新設分割株式会社が新設分割設立株式会社の成立の日に次に掲げる行為をするときは，その旨

イ　第171条第1項の規定による株式の取得（同項第1号に規定する取得対価が新設分割設立株式会社の株式（これに準ずるものとして法務省令で定めるものを含む。ロにおいて同じ。）のみであるものに限る。）

ロ　剰余金の配当（配当財産が新設分割設立株式会社の株式のみであるものに限る。）

2　（略）

1　アイ　　　　2　アエ　　　　3　イウ　　　　4　ウオ　　　　5　エオ

第35問　一般財団法人の登記に関する次のアからオまでの記述のうち，**正しいもの**の組合せは，後記1から5までのうち，どれか。

ア　設立の登記の申請書には，登記すべき事項として，評議員の氏名を記載しなければならない。

イ　公告方法として「主たる事務所の公衆の見やすい場所に掲示する方法」を登記することはできない。

ウ　解散後も監事を置く旨の定款の定めのある一般財団法人が，定款で定めた存続期間の満了により解散した場合において，清算人の登記をするときは，監事設置法人である旨をも登記しなければならない。

エ　基本財産の滅失その他の事由による一般財団法人の目的である事業の成功の不能により解散する旨を定款で定めた場合には，当該解散の事由を登記しなければならない。

オ　貸借対照表の内容である情報につき不特定多数の者がその提供を受けるために必要な事項を登記する場合には，その申請書には，当該事項について決議した理事会の議事録を添付しなければならない。

1　アウ　　　2　アオ　　　3　イウ　　　4　イエ　　　5　エオ

第36問　以下の（設例）に基づき，後記の問1から問5までに答えなさい。

（設例）

1　令和4年3月1日，司法書士法務新は，別紙1の登記がされている不動産（以下「甲土地」という。）及び別紙2の登記がされている不動産（以下「乙建物」という。）についてXから相談を受け，後記【事実関係】1及び2の事実を聴取した。そして，同年4月1日，司法書士法務新は，後記【事実関係】1から6までの事実に基づいて行うべき甲土地及び乙建物の登記申請手続に必要な全ての書類を受領した上で，別紙5の登記原因証明情報を起案し，関係当事者全員から登記の申請手続等について代理することの依頼を受けた。同日，司法書士法務新は，甲土地及び乙建物について必要な登記の申請を行った。

2　令和6年2月5日，司法書士法務新は，甲土地及び乙建物について再びXから相談を受け，後記【事実関係】7から9までの事実を聴取した。そして，同月19日，司法書士法務新は，後記【事実関係】1から9までの事実に基づいて行うべき甲土地及び乙建物の登記申請手続に必要な全ての書類を受領し，Xから登記の申請手続等について代理することの依頼を受けた。同日，司法書士法務新は，甲土地及び乙建物について必要な登記の申請を行った。

3　令和6年3月1日，司法書士法務新は，別紙8の登記がされている不動産（以下「丙土地」という。）及び別紙9の登記がされている不動産（以下「丁建物」という。）についてBから相談を受け，後記【事実関係】10の事実を聴取した。そして，同年7月5日，司法書士法務新は，後記【事実関係】1から12までの事実に基づいて行うべき丙土地及び丁建物の登記申請手続に必要な全ての書類を受領し，同日，司法書士法務新は，丙土地及び丁建物について必要な登記の申請を行った。

【事実関係】

1　Aは，住居として乙建物を使用し，その敷地として甲土地を使用していたが，引っ越しをすることとなった。そこで，Aと懇意にしてきたXは，自ら工事代金を負担して乙建物の増築工事（以下「本件増築工事」という。）を行った上で，乙建物を住居として使用することとした。本件増築工事は，令和4年2月26日に完了した。

2　Xは，本件増築工事を行うに当たり，ひかり銀行株式会社から融資を受けることとし，所定の申込手続を行った。なお，融資の条件として，乙建物の一部又は全部をXの所有名義とすることが必要とされた。

3　令和4年3月4日，Xは，土地家屋調査士法務蒼太の事務所を訪問し，乙建物の表題部の変更の登記の申請を依頼した。当該登記は同月17日に完了し，乙

建物の床面積が97.44㎡に変更されたが，その他の登記事項に変更はない。

4　甲土地及び乙建物の乙区1番に記録されている抵当権については，別紙3の抵当権解除証書を含む関係書類が交付されている。

5　令和4年3月25日，Xは，住所を奈良県奈良市小山町15番地3に移転した。同日，Xは，ひかり銀行株式会社との間で前記【事実関係】2の申込みに係る金銭消費貸借契約を締結するとともに，ひかり信用保証株式会社との間でXがひかり銀行株式会社に対して負担する金銭債務に係る保証委託契約を締結した。

6　令和4年4月1日，ひかり銀行株式会社は，Xに対する融資を実行した。また，同日，X，A及びひかり信用保証株式会社は，別紙4の抵当権設定契約証書により抵当権設定契約を締結した。

7　令和4年5月2日，Aは，住所を奈良県丹生郡今川町1305番地に移転した。

8　令和5年8月10日，Aは，別紙6の遺言書により遺言をした。

9　令和6年1月20日，Aは死亡した。Aの親族関係は，別紙7に記載されたとおりである。また，Xは，Aの遺言に係る遺言執行者の就職を承諾した。

10　Aは，生前に住居として丁建物を使用し，その敷地として丙土地を使用していた。Aの死亡後，丁建物には誰も住んでいないが，Bが丁建物の管理を継続して行っていた。しかし，Bは，丁建物とは別に自宅を有しており，丁建物に居住するつもりはなかった上，Aには丙土地及び丁建物のほかに遺産もなかったことから，Bは，Aに係る相続の放棄をしたいと考えていた。

11　令和6年3月13日，Bは，Aの最後の住所地を管轄する奈良家庭裁判所五條支部にAに係る相続の放棄をする旨の申述をし，同日，当該申述は受理された。

12　令和6年5月8日，Bは，奈良家庭裁判所五條支部に相続財産清算人の選任の申立てをし，同年6月28日，司法書士法務新が相続財産清算人に選任された。

〔事実関係に関する補足〕

1　本件増築工事による乙建物の増築部分は，乙建物の既存部分に接して築造されており，建物としての構造上の独立性はなく，当該既存部分と一体として利用され，取引されるべき状態にある。

2　登記申請に当たって法律上必要な手続は，申請日までに全てされている。なお，登記原因につき第三者の許可，同意又は承諾を要する場合には，各申請日までに，それぞれ当該第三者の許可，同意又は承諾を得ている。また，登記上の利害関係を有する第三者の承諾を要する場合には，各申請日までに，当該第三者の承諾を得ている。

3　司法書士法務新が令和4年4月1日に行った登記の申請は，同月7日に完了している。また，司法書士法務新が令和6年2月19日に行った登記の申請は，

同月22日に完了している。

4　【事実関係】は全て真実に合致しており，また，これらに基づく行為や司法書士法務新の説明内容は，全て適法である。

5　司法書士法務新は，同じ日付で複数の登記を申請する場合には，次の要領で登記を申請するものとする。

　⑴　権利部（甲区）又は権利部（乙区）の別を問わず，登記原因の日付の早いものから登記を申請する。

　⑵　登記原因の日付が同日のものがある場合は，権利部（甲区）に関する登記を申請し，その後に権利部（乙区）に関する登記を申請する。

　⑶　複数の不動産について一括して申請することができる場合は1件で申請することとし，申請件数及び登録免許税の額が最も少なくなるように登記を申請する。

6　本件の関係当事者間には，【事実関係】及び各別紙に記載されている権利義務以外には，実体上の権利義務関係は存在しない。

7　甲土地及び乙建物は，奈良地方法務局の管轄に属している。また，丙土地及び丁建物は，奈良地方法務局五條支局の管轄に属している。司法書士法務新は，いずれの登記の申請も，管轄登記所に書面を提出する方法により行ったものとする。

8　司法書士法務新は，いずれの登記申請においても，判決による登記申請及び債権者代位による登記申請を行っていない。

9　令和4年4月1日現在の甲土地の課税標準の額は836万6933円とし，本件増築工事後の乙建物の課税標準の額は238万188円とする。令和6年2月19日現在の甲土地の課税標準の額は820万2876円とする。令和6年7月5日現在の丙土地の課税標準の額は466万3251円とする。

問1　令和4年3月1日，司法書士法務新がXの訪問を受けた際に，Xから，<u>乙建物の増築部分の所有権の帰属</u>について質問を受けたため，<u>司法書士法務新は，判例の立場を前提として，本件増築工事が完了した時点で当該増築部分の所有権が誰に帰属するか及びその理由を説明した。</u>司法書士法務新が行った説明の内容につき，当該増築部分の所有権が誰に帰属するかを明示した上で，その理由を第36問答案用紙の第1欄に記載しなさい。

問2　司法書士法務新が甲土地及び乙建物について令和4年4月1日に申請した登記の申請情報の内容のうち，登記の目的，登記記録の「権利者その他の事

項」欄に記録される情報及び申請人（以下「申請事項等」という。問3におい
て同じ。），添付情報，登録免許税額並びに不動産の表示を，司法書士法務新が
申請した登記の順に従って，第36問答案用紙の第2欄(1)から(3)までの各欄に
記載しなさい。

問3　司法書士法務新が**甲土地**について**令和6年2月19日**に**申請した登記**の申請
情報の内容のうち，登記の目的，申請事項等，添付情報及び登録免許税額を，
司法書士法務新が申請した登記の順に従って，第36問答案用紙の第3欄(1)及
び(2)の各欄に記載しなさい。なお，回答を記載するに当たっては，**（設例）2**
及び〔事実関係に関する補足〕5(3)にかかわらず，甲土地についてのみ登記
の申請をしたものとし，乙建物については記載することを要しない。

問4　令和6年3月1日，司法書士法務新がBの訪問を受けた際に，Bから，**A**
に係る相続の放棄をした場合において，**Bが丙土地及び丁建物についてどの**
ような義務を負うことがあるかについて質問を受けたため，司法書士法務新は，
法令に照らし，以下のとおりの説明をした。空欄に当てはまる文言（　B
及び　C　は順不同）を，第36問答案用紙の第4欄に記載しなさい。

【司法書士法務新の説明】
「相続放棄をした者は，その放棄の時に相続財産に属する財産を　A　占
有しているときは，　B　又は　C　に対して当該財産を引き渡すま
での間，　D　の注意をもって，その財産を　E　しなければなりま
せん。」

問5　司法書士法務新が**丙土地**について**令和6年7月5日**に**申請した登記**の申請
情報の内容のうち，登記の目的，登記原因及びその日付，申請人及び登録免許
税額を，司法書士法務新が申請した登記の順に従って，第36問答案用紙の第
5欄に記載しなさい。なお，回答を記載するに当たっては，**（設例）3及び〔事**
実関係に関する補足〕5(3)にかかわらず，丙土地についてのみ登記の申請をし
たものとし，丁建物については記載することを要しない。

（答案作成に当たっての注意事項）

1　第36問答案用紙の第2欄及び第3欄の申請事項等欄の「上記以外の申請事項等」欄に解答を記載するに当たっては，次の要領で行うこと。

⑴　「上記以外の申請事項等」欄には，登記記録の「権利者その他の事項」のうち登記原因及びその日付を除いた情報並びに申請人を記載する。

⑵　申請人について，「権利者」，「義務者」，「申請人」，「所有者」，「抵当権者」，「（被承継者）」等の表示も記載する。

⑶　申請人について，住所又は本店所在地は，記載することを要しない。また，会社法人等番号を有する法人について，代表機関の資格及び氏名並びに会社法人等番号は，記載することを要しない。

⑷　登記権利者及び登記義務者が共同して権利に関する登記の申請をする場合その他の法令の規定により登記の申請をする場合において，申請人が登記識別情報又は登記済証を提供することができないときは，当該登記識別情報又は登記済証を提供することができない理由を記載する。

⑸　申請人が法令に掲げる者のいずれであるかを申請情報の内容とすべきときは，「民法423条1項」の振り合いで，当該法令を記載する。

2　第36問答案用紙の第2欄及び第3欄の添付情報欄に解答を記載するに当たっては，次の要領で行うこと。

⑴　添付情報の解答は，その登記の申請に必要な添付情報を後記【添付情報一覧】から選択し，その記号（アからハまで）を記載する。

⑵　法令の規定により添付を省略することができる情報及び提供されたものとみなされる情報についても，後記【添付情報一覧】から選択し，その記号（アからハまで）を記載する。

⑶　後記【添付情報一覧】のアからハまでに掲げられた情報以外の情報（登記の申請に関する委任状等）は，記載することを要しない。

⑷　後記【添付情報一覧】のシを記載するときは，シの記号に続けて，シの括弧書きの「（何某が何土地又は何建物の何区何番で通知を受けたもの）」に通知を受けた者，通知を受けた不動産及びその順位番号を補い，「シ（Aが甲土地の甲区1番で通知を受けたもの）」の要領で記載する。

⑸　後記【添付情報一覧】のネ又はノのいずれかあるいは複数を記載するときは，それぞれの記号の後に続けて，ネ又はノの括弧書きの「（何某のもの）」に当該情報の作成者の氏名を補い，「ネ（Aのもの）」の要領で記載する。

⑹　後記【添付情報一覧】のハを記載するときは，ハの括弧書きの「（何某の本人確認をしたもの）」に司法書士法務新が本人確認をした申請人の氏名を補い，「ハ（Aの本人確認をしたもの）」の要領で記載する。

(7) 後記【添付情報一覧】のスからソまでに掲げられた印鑑に関する証明書は，登記名義人となる者の住所を証する情報としては使用しないものとする。

(8) 後記【添付情報一覧】のタのＡに関する住民票の除票の写しには，本籍及び前住所が記載されているものとする。

(9) 後記【添付情報一覧】に掲げられた添付情報のうち，発行日，作成日等の日付が明示されておらず，かつ，登記の申請に際して有効期限の定めがあるものは，登記の申請時において，全て有効期限内であるものとする。

3 第36問答案用紙の第2欄の不動産の表示欄に解答を記載するに当たっては，甲土地，乙建物のいずれか又はその両方を丸で囲うこと。

4 第36問答案用紙の第5欄の申請人欄に解答を記載するに当たっては，次の要領で行うこと。

(1) 申請人について，「権利者」，「義務者」，「申請人」，「所有者」，「抵当権者」，「(被承継者)」等の表示も記載する。

(2) 申請人について，住所又は本店所在地は，記載することを要しない。また，会社法人等番号を有する法人について，代表機関の資格及び氏名並びに会社法人等番号は，記載することを要しない。

(3) 登記権利者及び登記義務者が共同して権利に関する登記の申請をする場合その他の法令の規定により登記の申請をする場合において，申請人が登記識別情報又は登記済証を提供することができないときは，当該登記識別情報又は登記済証を提供することができない理由を記載する。

(4) 申請人が法令に掲げる者のいずれであるかを申請情報の内容とすべきときは，「民法423条1項」の振り合いで，当該法令を記載する。

5 第36問答案用紙の第2欄，第3欄及び第5欄の各項目の欄に申請すべき登記の申請情報等の内容を記載するに当たり，記載すべき情報等がない場合には，その欄に「なし」と記載すること。

6 申請できる登記は全て申請するものとし，申請すべき登記がない場合には，第36問答案用紙の第2欄及び第3欄の**登記の目的欄**に「登記不要」と記載すること。

7 別紙は，いずれも，実際の様式と異なる。また，別紙には記載内容の一部が省略されているものがあり，別紙を含め登記の申請に必要な添付情報は，いずれも，【事実関係】に沿う形で，法律上適式に作成されているものとする。

8 数字を記載する場合には，算用数字を使用すること。

9 登録免許税が免除され，又は軽減される場合には，その根拠となる法令の条項を登録免許税額欄に登録免許税額（非課税である場合は，その旨）とともに記載する。なお，登録免許税額の算出について，登録免許税法以外の法令に

よる税の減免規定の適用はないものとする。

10　第36問答案用紙の**各欄に記載する文字は字画を明確**にし，訂正，加入又は
削除をするときは，訂正は訂正すべき字句に線を引き，近接箇所に訂正後の字
句を記載し，加入は加入する部分を明示して行い，削除は削除すべき字句に線
を引いて，訂正，加入又は削除をしたことが明確に分かるように記載すること。
ただし，押印や字数を記載することを要しない。

【添付情報一覧】

ア　抵当権解除証書（別紙3）

イ　抵当権設定契約証書（別紙4）

ウ　登記原因証明情報（別紙5）

エ　遺言書（別紙6）

オ　登記済証（甲土地の甲区1番のもの）

カ　登記済証（甲土地の乙区1番のもの）

キ　登記識別情報（生駒大和信用金庫が甲土地の乙区1番付記1号で通知を受けたもの）

ク　登記済証（乙建物の甲区1番のもの）

ケ　登記済証（乙建物の乙区1番のもの）

コ　登記識別情報（生駒大和信用金庫が乙建物の乙区1番付記1号で通知を受けたもの）

サ　登記済証（丙土地の甲区1番のもの）

シ　登記識別情報（何某が何土地又は何建物の何区何番で通知を受けたもの）

ス　Aの印鑑に関する証明書

セ　Bの印鑑に関する証明書

ソ　Xの印鑑に関する証明書

タ　Aの住民票の除票の写し

チ　Bの住民票の写し

ツ　Xの住民票の写し

テ　Aが死亡した旨の記載のある戸籍の全部事項証明書

ト　大和信用金庫の会社法人等番号

ナ　生駒大和信用金庫の会社法人等番号

ニ　ひかり銀行株式会社の会社法人等番号

ヌ　ひかり信用保証株式会社の会社法人等番号

ネ　登記原因につき第三者の許可，同意又は承諾を証する情報及び当該情報の作成者の印鑑に関する証明書（何某のもの）

ノ　登記上の利害関係を有する第三者の承諾を証する情報及び当該情報の作成者の印鑑に関する証明書（何某のもの）

ハ　本人確認情報（何某の本人確認をしたもの）

別紙1　甲土地の登記事項証明書（抜粋）

表　題　部（土地の表示）		調製	【略】		不動産番号	【略】	
地図番号	余白		筆界特定	余白			
所　　在	奈良市小山町				余白		
① 地　番	② 地　目		③ 地　積　　㎡		原因及びその日付〔登記の日付〕		
15番3	田		192		余白		
余白	宅地		192	45	②③平成2年1月10日地目変更〔平成2年1月22日〕		

権　利　部　（甲　区）（所　有　権　に　関　す　る　事　項）			
順位番号	登記の目的	受付年月日・受付番号	権利者その他の事項
1	所有権移転	平成1年8月21日第5567号	原因　平成1年8月21日売買所有者　奈良県奈良市小山町15番地3　　　　A順位4番の登記を移記

権　利　部　（乙　区）（所　有　権　以　外　の　権　利　に　関　す　る　事　項）			
順位番号	登記の目的	受付年月日・受付番号	権利者その他の事項
1	抵当権設定	平成2年2月20日第4337号	原因　平成2年2月20日金銭消費貸借　　　　同日設定債権額　金2850万円利息　年3.5%（年365日日割計算）損害金　年14%債務者　奈良県奈良市小山町15番地3　　　　A抵当権者　奈良県奈良市元町3番地　　　　大和信用金庫共同担保　目録（ね）第3451号順位4番の登記を移記
付記1号	1番抵当権移転	令和3年5月6日第5541号	原因　令和3年5月1日合併抵当権者　奈良県生駒市上町12番1号　　　　生駒大和信用金庫

共　同　担　保　目　録				
記号及び番号	（ね）第3451号		調製	【略】
番　号	担保の目的である権利の表示	順位番号	予　備	
1	奈良市小山町　15番3の土地	1	余白	
2	奈良市小山町　15番地3　家屋番号 15番3の建物	1	余白	

これは登記記録に記録されている事項の全部を証明した書面である。

令和4年3月1日
奈良地方法務局　　　　　　　　　　登記官　　紅　山　美　怜　　㊞

別紙 2　乙建物の登記事項証明書（抜粋）

表題部（主である建物の表示）	調製	【略】		不動産番号		【略】
所在図番号	余白					
所　　在	奈良市小山町　15番地3			余白		
家屋番号	15番3			余白		
①　種　類	②　構　造	③　床　面　積　㎡		原因及びその日付〔登記の日付〕		
居宅	木造瓦葺平家建	62	66	平成2年1月10日新築〔平成2年1月22日〕		

権　利　部　（　甲　区　）（　所　有　権　に　関　す　る　事　項　）			
順位番号	登記の目的	受付年月日・受付番号	権利者その他の事項
1	所有権保存	平成2年2月20日第4335号	所有者　奈良県奈良市小山町15番地3 　　　A 順位1番の登記を移記

権　利　部　（　乙　区　）（　所　有　権　以　外　の　権　利　に　関　す　る　事　項　）			
順位番号	登記の目的	受付年月日・受付番号	権利者その他の事項
1	抵当権設定	平成2年2月20日第4337号	原因　平成2年2月20日金銭消費貸借 　　　同日設定 債権額　金2850万円 利息　年3.5%（年365日日割計算） 損害金　年14% 債務者　奈良県奈良市小山町15番地3 　　　A 抵当権者　奈良県奈良市元町3番地 　　　大和信用金庫 共同担保　目録（ね）第3451号 順位4番の登記を移記
付記1号	1番抵当権移転	令和3年5月6日第5541号	原因　令和3年5月1日合併 抵当権者　奈良県生駒市上町12番1号 　　　生駒大和信用金庫

共 同 担 保 目 録				
記号及び番号	（ね）第3451号		調製	【略】
番　号	担保の目的である権利の表示	順位番号	予　備	
1	奈良市小山町　15番3の土地	1	余白	
2	奈良市小山町　15番地3　家屋番号 15番3の建物	1	余白	

これは登記記録に記録されている事項の全部を証明した書面である。

令和4年3月1日
奈良地方法務局　　　　　　　　　　　　登記官　　紅　山　美　怜　　印

別紙 3　抵当権解除証書

抵当権解除証書

奈良県奈良市小山町15番地3
　　A　　　　　　　　　　　　殿

　平成2年2月20日付け抵当権設定契約により，次の不動産に設定した抵当権（平成2年2月20日奈良地方法務局受付第4337号登記済）は，本日，解除しました。

　不動産の表示

　　　　当欄には，甲土地及び乙建物が記載されているものとする。

　令和4年2月22日

　　　　　　　　　　　　　　奈良県生駒市上町12番1号
　　　　　　　　　　　　　　生駒大和信用金庫
　　　　　　　　　　　　　　理事長　　黒　木　公　㊞

別紙4　抵当権設定契約証書

抵当権設定契約証書

大阪市東区丸井2丁目1番地
ひかり信用保証株式会社　御中

令和4年4月1日

債務者 （保証委託者） 兼抵当権設定者	当欄には，関係当事者全員が適式に署名し，押印しているものとする。
抵当権設定者	

　債務者及び抵当権設定者は，債務者がひかり銀行株式会社から融資を受けるについて，令和4年3月25日付で貴社との間に締結した保証委託契約（以下単に「保証委託契約」という。）に付帯して，下記の条項を契約します。

第1条（抵当権の設定）
　抵当権設定者は，債務者が保証委託契約により貴社に対し負担すべき求償債務を担保するため，その所有する末尾記載の物件の上に次の要領により順位第1番の抵当権を設定いたします。

　　1　債　務　額　　　金900万円
　　1　遅延損害金　　　年14%

【中略】

物件の表示

　　　　当欄には，甲土地及び乙建物が記載されているものとする。

別紙 5　登記原因証明情報

登記原因証明情報

1　登記申請情報の要項
(1)　登記の目的　　【略】
(2)　登記の原因　　【略】
(3)　当　事　者　　【略】
(4)　不動産の表示

　　　　　　　　所　　在　　　奈良県奈良市小山町15番地3
　　　　　　　　家屋番号　　　15番3
　　　　　　　　種　　類　　　居宅
　　　　　　　　構　　造　　　木造瓦葺平家建
　　　　　　　　床面積　　　　97.44㎡

2　登記の原因となる事実又は法律行為
(1)　令和4年2月26日，Xは，Aが所有する上記1(4)の建物（以下「本件建物」
　　という。）に対して，建物増築工事を行った。
(2)　これによって，Aが所有する本件建物の価値は増加した。
(3)　Aは，Xに対して，本件建物の増加価値につき償金を支払う債務があること
　　を確認した。
(4)　令和4年3月25日，XとAは，AがXに対し，前記(3)の債務の弁済に代え
　　て，増築後の本件建物の所有権の持分10分の7を移転する旨の契約をした。
(5)　よって，同日，本件建物の所有権の持分の10分の7が，AからXに移転した。

令和4年4月1日　奈良地方法務局　御中

上記の登記原因のとおり相違ありません。

　　　　　　　　　　　当欄には，関係当事者全員が適式に署名し，
　　　　　　　　　　　押印しているものとする。

別紙6　遺言書

注：本遺言書は，以下の2葉で構成されており，その発見当時，当該2葉は同一の封筒
　　　に入れられ，封かんされていた。
　　　1枚目の文字は全て手書きであり，適式な押印がされている。
　　　2枚目はパソコンで作成されており，Aの自署と適式な押印がされている。
　　　本遺言書は家庭裁判所で検認されており，検認済み証明書が合てつされている。

（1枚目）

遺　言　書

　　X（平成3年6月9日生，住所　奈良県奈良市小山町15番地3）に別紙財産目録
の不動産を相続させる。
　　本遺言の遺言執行者として，前記Xを指定する。

令和5年8月10日

　　　　　　　　　　　　奈良県丹生郡今川町1305番地

　　　　　　　　　　　　　　　　A　㊞

（2枚目）

別紙
　　　　　　　　　　　　財産目録

　　　　当欄には，甲土地及び乙建物が記載されているものとする。

　　　　　　　　　　　　　　　　A　㊞

— 98 —

別紙7　Aの親族関係図
　注：二重線は婚姻関係を示しており，一本線は親子関係を示している。

I
出生　昭和 7 年 2 月28日
死亡　平成23年10月 8 日

K
出生　昭和33年10月 9 日
死亡　平成 7 年 8 月18日

E
出生　大正 2 年 9 月 4 日
死亡　昭和20年 2 月 5 日

J
出生　昭和12年12月 5 日
死亡　令和 1 年 7 月30日

X
出生　平成 3 年 6 月 9 日

L
出生　昭和40年 3 月 1 日

C
出生　昭和 8 年12月 6 日
死亡　平成 9 年 2 月 8 日

F
出生　大正 5 年 5 月11日
死亡　昭和59年11月 2 日

A
出生　昭和33年10月 3 日
死亡　令和 6 年 1 月20日

G
出生　大正 3 年 7 月 7 日
死亡　昭和62年 5 月12日

B
出生　昭和35年 7 月18日

D
出生　昭和 8 年12月23日
死亡　令和 3 年 8 月18日

H
出生　大正 2 年 9 月 1 日
死亡　平成23年 6 月30日

午後の部　問題

別紙 8　丙土地の登記事項証明書（抜粋）

表　題　部（土地の表示）	調製	【略】	不動産番号	【略】
地図番号	余白	筆界特定	余白		
所　　在	丹生郡今川町			余白	

①　地　番	②　地　目	③　地　積　　㎡	原因及びその日付〔登記の日付〕
1305番	宅地	332 ¦ 53	余白

権　利　部　（　甲　区　）（　所　有　権　に　関　す　る　事　項　）			
順位番号	登記の目的	受付年月日・受付番号	権利者その他の事項
1	所有権移転	平成10年8月18日 第4727号	原因　平成9年2月8日相続 所有者　奈良県奈良市小山町15番地3 　　　A

　これは登記記録に記録されている事項の全部を証明した書面である。ただし，登記記録の乙区に記録されている事項はない。

令和6年2月28日
奈良地方法務局五條支局　　　　　　　　　　　登記官　　金　城　優　紀　㊞

別紙9　丁建物の登記事項証明書（抜粋）

表題部（主である建物の表示）	調製	【略】		不動産番号	【略】

所在図番号	余白		
所　　　在	丹生郡今川町　1305番地	余白	
家屋番号	1305番	余白	

①　種　類	②　構　造	③　床　面　積　　㎡	原因及びその日付〔登記の日付〕
居宅	木造瓦葺平家建	147 ┆ 23	昭和53年9月10日新築〔昭和53年11月15日〕

権　利　部　（甲　区）（所　有　権　に　関　す　る　事　項）			
順位番号	登記の目的	受付年月日・受付番号	権利者その他の事項
1	所有権移転	平成10年8月18日第4727号	原因　平成9年2月8日相続 所有者　奈良県奈良市小山町15番地3 　　　　A

　これは登記記録に記録されている事項の全部を証明した書面である。ただし，登記記録の乙区に記録されている事項はない。

　令和6年2月28日
　奈良地方法務局五條支局　　　　　　　　　　登記官　　金　城　優　紀　㊞

別紙10　相続財産清算人選任審判書謄本

令和６年（家）第10号　相続財産清算人選任申立事件

審　　判

本　　籍　（省略）
住　　所　奈良県丹生郡今川町1432番地
　　　　　申立人　Ｂ

本　　籍　（省略）
最後の住所　奈良県丹生郡今川町1305番地
　　　　　被相続人　亡　Ａ
　　　　　昭和33年10月３日生
　　　　　令和６年１月20日死亡

　本件について，当裁判所は，その申立てを相当と認め，民法第952条により次のとおり審判する。

主　　文

被相続人亡Ａの相続財産清算人として，
　　　　　　　　住　　所　奈良県奈良市南町二丁目77番地
　　　　　　　　氏　　名　法務　新
　　　　　　　　　　　　　　　　　　　　　を選任する。

令和６年６月28日
　奈良家庭裁判所五條支部
　　裁判官　　吉　田　匠　実

　　　　　　　　　　　上記は謄本である。
　　　　　　　　　　　令和６年６月30日
　　　　　　　　　　　　奈良家庭裁判所五條支部
　　　　　　　　　　　　　裁判所書記官　　光　野　司　㊞

第37問 司法書士石田小梅は，令和6年4月3日に事務所を訪れた株式会社サクラの代表者から，別紙1から別紙6までの書面のほか，登記申請に必要な書面の提示を受けて確認を行い，別紙15のとおり事情を聴取した上で，同代表者に対し，登記すべき事項や登記のための要件などを説明した。そして，司法書士石田小梅は，株式会社サクラの代表者から必要な登記の申請書の作成及び登記申請の代理の依頼を受けた。

そこで，司法書士石田小梅は，この依頼に基づき，登記申請に必要な書面の交付を受け，管轄登記所に対し，同月4日に登記の申請をしたところ，同月11日に当該登記が完了した。

また，司法書士石田小梅は，同年7月3日に事務所を訪れた株式会社サクラの代表者から，同年4月3日に提示を受けた書面に加え，別紙7から別紙14までの書面のほか，登記申請に必要な書面の提示を受けて確認を行い，別紙16のとおり事情を聴取した上で，同代表者に対し，登記すべき事項や登記のための要件などを説明した。そして，司法書士石田小梅は，株式会社サクラの代表者から必要な登記の申請書の作成及び登記申請の代理の依頼を受けた。

そこで，司法書士石田小梅は，この依頼に基づき，登記申請に必要な書面の交付を受け，管轄登記所に対し，同年7月5日に登記の申請をした。

以上に基づき，次の問1から問3までに答えなさい。

問1 令和6年4月4日に司法書士石田小梅が申請した登記のうち，当該登記の申請書に記載すべき登記の事由，登記すべき事項，登録免許税額並びに添付書面の名称及び通数を第37問答案用紙の第1欄に記載しなさい。ただし，登録免許税額の内訳については，記載することを要しない。

問2 令和6年7月5日に司法書士石田小梅が申請した登記のうち，当該登記の申請書に記載すべき登記の事由，登記すべき事項，登録免許税額並びに添付書面の名称及び通数を第37問答案用紙の第2欄に記載しなさい。ただし，登録免許税額の内訳については，記載することを要しない。

問3 司法書士石田小梅が別紙7から別紙14までの書面及び別紙16のとおり事情を聴取した内容のうち，登記することができない事項（法令上登記すべき事項とされていない事項を除く。）がある場合には，当該事項及びその理由を第37問答案用紙の第3欄に記載しなさい。登記することができない事項がない場合には，第37問答案用紙の第3欄【登記することができない事項】部分に「なし」と記載しなさい。

（答案作成に当たっての注意事項）

1　登記申請書の添付書面については，全て適式に調えられており，別段の記載がない限り，所要の記名・押印がされているものとする。

2　登記申請書に会社法人等番号を記載することによる登記事項証明書の添付の省略は，しないものとする。

3　被選任者及び被選定者の就任承諾は，別紙13及び別紙14を除き，選任され，又は選定された日に適法に得られ，その旨の書面が調えられているものとする。

4　株式会社サクラ及びボタン株式会社を通じて，AからKまでの記号で表示されている者は，いずれも自然人であって，同じ記号の者が各々同一人物であるものとする。

5　登記申請書の添付書面のうち，株主の氏名又は名称，住所及び議決権数等を証する書面（株主リスト）を記載する場合において，各議案を通じて株主リストに記載する各株主についての内容が変わらないときは，その通数は開催された株主総会ごとに1通を添付するものとする。

6　株式会社サクラの定款には，別紙1から別紙16までに現れている以外には，会社法の規定と異なる定めは，存しないものとする。

7　ボタン株式会社の定款には，別紙7から別紙14まで及び別紙16に現れている以外には，会社法の規定と異なる定めは，存しないものとする。

8　株式会社サクラは，設立以来，最終事業年度に係る貸借対照表の負債の部に計上した額の合計額が200億円以上となったことはないものとする。

9　別紙中，（略）又は（以下略）と記載されている部分及び記載が省略されている部分には，いずれも有効な記載があるものとする。

10　登記の申請に伴って必要となる印鑑の提出は，適式にされているものとし，株式会社サクラの代表取締役のうち，Aのみが印鑑の提出をしているものとする。

11　租税特別措置法等の特例法による登録免許税の減免規定の適用はないものとする。

12　数字を記載する場合には，算用数字を使用すること。

13　登記申請の懈怠については，考慮しないものとする。

14　東京都千代田区は東京法務局，東京都渋谷区は東京法務局渋谷出張所の管轄である。

15　第37問答案用紙の**各欄に記載する文字は字画を明確**にし，訂正，加入又は削除をするときは，訂正は訂正すべき字句に線を引き，近接箇所に訂正後の字句を記載し，加入は加入する部分を明示して行い，削除は削除すべき字句に線を引いて，訂正，加入又は削除をしたことが明確に分かるように記載すること。ただし，押印や字数を記載することは要しない。

別紙 1

【令和 6 年 4 月 3 日現在の株式会社サクラの登記記録の抜粋】

商号	株式会社サクラ	
本店	東京都千代田区さくら町 100 番地	
公告をする方法	官報に掲載してする。	
会社成立の年月日	平成 22 年 1 月 21 日	
目的	1　菓子の製造及び販売 2　前号に附帯する一切の事業	
発行可能株式総数	4 万株	
発行済株式の総数 並びに種類及び数	発行済株式の総数 　　1 万 2000 株	
資本金の額	金 1 億 5000 万円	
株式の譲渡制限に 関する規定	当会社の株式を譲渡により取得するには，取締役会の承認を受けなければならない。	
役員に関する事項	取締役　　A	令和 4 年 3 月 25 日重任
	取締役　　B	令和 4 年 3 月 25 日重任
	取締役　　C	令和 4 年 3 月 25 日重任
	取締役　　D	令和 3 年 3 月 26 日就任
	取締役　　E	令和 3 年 3 月 26 日就任
	東京都千代田区あやめ 1 番地 代表取締役　　A	令和 4 年 3 月 25 日重任
	東京都港区ばら町 2 番地 代表取締役　　B	令和 4 年 3 月 25 日重任
	監査役　　F	令和 4 年 3 月 25 日重任
	監査役の監査の範囲を会計に関する ものに限定する旨の定款の定めがある。	
取締役会設置会社 に関する事項	取締役会設置会社	
監査役設置会社に 関する事項	監査役設置会社	

別紙2
【令和6年3月14日現在の株式会社サクラの定款の抜粋】

（商号）
第1条　当会社は，株式会社サクラと称する。

（目的）
第2条　当会社は，次の事業を営むことを目的とする。
　　　　1　菓子の製造及び販売
　　　　2　前号に附帯する一切の事業

（本店の所在地）
第3条　当会社は，本店を東京都千代田区に置く。

（公告の方法）
第4条　当会社の公告は，官報に掲載してする。

（機関）
第5条　当会社には，株主総会及び取締役のほか，次の機関を置く。
　　　　1　取締役会
　　　　2　監査役

（発行可能株式総数）
第6条　当会社の発行可能株式総数は，4万株とする。

（株式の譲渡制限に関する規定）
第8条　当会社の株式を譲渡により取得するには，取締役会の承認を受けなければならない。

（招集）
第10条　当会社の定時株主総会は，毎事業年度終了後3か月以内に招集し，臨時株主総会は，随時必要に応じて招集する。

（基準日）

第13条　当会社は，毎年事業年度末日の最終の株主名簿に記載された議決権を有する株主をもって，その事業年度に関する定時株主総会において権利を行使することができる株主とする。

（募集株式の発行）

第15条　株主に株式の割当てを受ける権利を与える場合には，募集事項並びに株主に株式の割当てを受ける権利を与える旨及び募集株式の引受けの申込みの期日は，取締役会の決議により定めることができる。

（監査役の権限）

第27条　監査役は，会計に関する事項のみについて監査する権限を有し，業務について監査する権限を有しない。

（任期）

第29条　取締役の任期は，選任後3年以内に終了する事業年度のうち最終のものに関する定時株主総会の終結の時までとする。

2　監査役の任期は，選任後4年以内に終了する事業年度のうち最終のものに関する定時株主総会の終結の時までとする。

（事業年度）

第33条　当会社の事業年度は，毎年2月1日から翌年1月31日までとする。

（その他）

第36条　この定款に規定のない事項は，全て会社法その他の法令の定めるところによる。

別紙3
【令和6年3月14日開催の株式会社サクラの取締役会における議事の概要】

議案　募集株式発行の件
　下記のとおり募集株式を発行する旨が諮られ，出席取締役全員の一致をもって可
決承認された。
　１．募集株式の種類及び数　普通株式　5,000株
　　　　　　　　　　　　　　このうち2,000株については，まず自己株式を交付する。
　２．募集株式の発行方法　株主割当てとし，株主に対し，その有する普通株式2株
　　　　　　　　　　　　　につき普通株式1株の割合をもって割当てを受ける権利
　　　　　　　　　　　　　を与える。
　３．払込金額　　　　　　1株につき金10,000円
　４．申込期日　　　　　　令和6年3月29日
　５．払込期日　　　　　　令和6年4月1日
　６．払込みを取り扱う金融機関及び取扱場所　（略）
　７．募集株式の発行により増加する資本金の額
　　　　資本金等増加限度額の2分の1の金額（計算の結果1円未満の端数が生じた
　　　ときは，その端数を切り上げる）
　８．募集株式の発行により増加する資本準備金の額
　　　　資本金等増加限度額から増加する資本金の額を減じた額

別紙4

【令和6年3月25日開催の株式会社サクラの定時株主総会における議事の概要】

株主の総数	6名
議決権を行使することができる株主の総数	5名
発行済株式の総数	12,000株
議決権を行使することができる株主の議決権の総数	10,000個
出席株主の数	3名
出席株主の有する議決権の総数	9,000個

［決議事項］

第1号議案　計算書類承認の件

　計算書類（令和5年2月1日から令和6年1月31日まで）の承認を求めたところ，満場一致をもって可決承認された。

第2号議案　定款一部変更の件

　次のとおり，定款の一部を変更することが諮られ，満場一致をもって可決承認された（下線は変更部分）。

変更前	変更後
（公告の方法） 第4条　当会社の公告は，官報に掲載してする。	（公告の方法） 第4条　当会社の公告は，電子公告の方法により行う。ただし，事故その他やむを得ない事由によって電子公告による公告ができない場合には，官報に掲載してする。
（機関） 第5条　当会社には，株主総会及び取締役のほか，次の機関を置く。 　　1　取締役会 　　2　監査役	（機関） 第5条　当会社には，株主総会及び取締役のほか，次の機関を置く。 　　1　取締役会 　　2　会計参与

（監査役の権限） 第27条　監査役は，会計に関する事項のみについて監査する権限を有し，業務について監査する権限を有しない。	（削除）
（任期） 第29条　取締役の任期は，選任後3年以内に終了する事業年度のうち最終のものに関する定時株主総会の終結の時までとする。 2　監査役の任期は，選任後4年以内に終了する事業年度のうち最終のものに関する定時株主総会の終結の時までとする。	（任期） 第29条　取締役の任期は，選任後3年以内に終了する事業年度のうち最終のものに関する定時株主総会の終結の時までとする。 2　会計参与の任期は，選任後3年以内に終了する事業年度のうち最終のものに関する定時株主総会の終結の時までとする。
（略）	（略）

第3号議案　会計参与選任の件

　会計参与を選任することが諮られ，出席株主の有する議決権の総数のうち6,000個の賛成をもって可決承認し，以下のとおり選任された。

　　　会計参与　　　　　　税理士法人ハマナス
　　　主たる事務所　　　　東京都渋谷区ハマナス3番地
　　　書類等備置場所　　　東京都渋谷区ハマナス3番地

別紙5

【株式会社サクラの令和6年1月31日の最終の株主名簿の抜粋】

	氏名又は名称	株式の種類及び数	
1	A	普通株式	5,000株
2	B	普通株式	3,000株
3	株式会社サクラ	普通株式	2,000株
4	C	普通株式	1,000株
5	H	普通株式	800株
6	I	普通株式	200株

株主の住所及び株式の取得年月日は省略。また，登録株式質権者は存在しない。

別紙6

辞任届

　私は，このたび一身上の都合により，貴社の取締役を辞任いたしたく，お届けいたします。

　令和6年3月30日

　　　　　　　　　　　　　　住所　東京都港区ばら町2番地
　　　　　　　　　　　　　　氏名　B　　　　　　　㊞

　株式会社サクラ　御中

別紙 7

【令和 6 年 6 月 25 日開催の株式会社サクラの臨時株主総会における議事の概要】

［決議事項］

第 1 号議案　株式交付計画承認の件

　当社を株式交付親会社，ボタン株式会社を株式交付子会社とする株式交付に関し，令和 6 年 5 月 15 日付け株式交付計画について，満場一致で可決承認された。

第 2 号議案　取締役選任の件

　以下のとおり取締役を 2 名選任することが諮られ，満場一致で可決承認された。

　　取締役　　G　　　　取締役　　H

第 3 号議案　取締役等の会社に対する責任の免除に関する規定の設定の件

　取締役等の会社に対する責任の免除に関する規定を設けるため，定款を一部変更し，以下の条文を新設することが諮られ，満場一致で可決承認された。

（取締役等の会社に対する責任の免除）

第 30 条の 2　当会社は，会社法第 426 条の規定により，取締役会の決議をもって，同法第 423 条の行為に関する取締役及び会計参与の責任を法令の限度内において免除することができる。

第 4 号議案　非業務執行取締役等の会社に対する責任の制限に関する規定の設定の件

　非業務執行取締役等の会社に対する責任の制限に関する規定を設けるため，定款を一部変更し，以下の条文を新設することが諮られ，満場一致で可決承認された。

（責任限定契約）

第 30 条の 3　当会社は，会社法第 427 条の規定により，取締役（業務執行取締役等であるものを除く。）及び会計参与との間に，同法第 423 条の行為による賠償責任を限定する契約を締結することができる。ただし，当該契約に基づく賠償責任の限度額は，法令が規定する額とする。

別紙8

【令和6年5月15日付け株式交付計画の抜粋】

当社は，ボタン株式会社を当社の子会社とするためボタン株式会社の株式を譲り受け，当該株式の譲渡人に対して当該株式の対価として当社の株式を交付する株式交付に関し，以下のとおり株式交付計画（以下「本計画」という。）を作成する。

（株式交付）

第1条　当社は，本計画の定めるところに従い，当社を株式交付親会社，ボタン株式会社（以下「対象会社」という。）を株式交付子会社として，株式交付（以下「本株式交付」という。）をする。

（商号及び本店）

第2条　対象会社の商号及び本店は，以下のとおりである。

　　　　商　　号：ボタン株式会社

　　　　本　　店：東京都渋谷区ぼたん町5番地

（株式の数の下限）

第3条　当社が，本株式交付に際して譲り受ける対象会社の株式の数の下限は，普通株式1,000株とする。

（株式交付に際して交付する株式及びその割当てに関する事項）

第4条　当社は，本株式交付に際して，対象会社の株式の譲渡人に対し，当該株式の対価として，当社に譲り渡す対象会社の株式の合計数に2を乗じて得た数の当社の普通株式を交付する。

2　当社は，前項の株式を，対象会社の株式の各譲渡人に対して，その譲り渡す対象会社の株式1株につき，当社の普通株式2株の割合をもって割り当てる。

（資本金及び準備金の額に関する事項）

第5条　本株式交付により増加する当社の資本金及び準備金の額は，次のとおりとする。

⑴　資本金の額：増加しない

⑵　準備金の額：（略）

（譲渡しの申込みの期日）

第6条　対象会社の株式及び対象会社の新株予約権の譲渡しの申込みの期日は，令和6年6月24日とする。

（効力発生日）

第7条　本株式交付がその効力を生ずる日は，令和6年7月1日とする。

別紙9

【令和6年6月20日付け総数譲渡契約の抜粋】

　　J（以下「甲」という。）と株式会社サクラ（以下「乙」という。）は，乙を株式交付親会社，ボタン株式会社（以下「対象会社」という。）を株式交付子会社とする乙の令和6年5月15日付け株式交付計画に基づく株式交付（以下「本株式交付」という。）に関し，乙が本株式交付に際して譲り受ける対象会社の株式の総数の譲渡しを甲が行うことについて，以下のとおり，総数譲渡契約（以下「本契約」という。）を締結する。

（株式交付子会社の株式の総数譲渡し）

第1条　甲は，次の要領で，乙が本株式交付に際して譲り受ける対象会社の株式の
　　　　総数を乙に譲渡し，乙は，これを譲り受ける。

　(1)　甲が乙に譲り渡す対象会社の株式の数　普通株式1,200株

　　　　　　　　　　　　　（以下略）

別紙10

【令和6年6月29日開催の株式会社サクラの取締役会における議事の概要】

第1号議案　総数譲渡契約承認の件

　当社とJとの総数譲渡契約について，出席取締役全員の一致をもって原案のとおり可決承認された。

第2号議案　代表取締役選定の件

　代表取締役を選定することが諮られ，出席取締役全員の一致をもって以下のとおり選定された。

　　　　　　　東京都北区スイセン町4番地
　　　　　　　代表取締役　　G

別紙11

【令和6年7月3日現在のボタン株式会社の登記記録の抜粋】

商号	ボタン株式会社
本店	東京都渋谷区ぼたん町5番地
公告をする方法	官報に掲載してする。
会社成立の年月日	平成21年7月13日
目的	1　洋菓子の製造及び販売 2　前号に附帯する一切の事業
発行可能株式総数	8000株
発行済株式の総数並びに種類及び数	発行済株式の総数 　　1500株
資本金の額	金1000万円
株式の譲渡制限に関する規定	当会社の株式を譲渡により取得するには，当会社の承認を受けなければならない。

役員に関する事項	取締役　J	令和5年8月25日重任
	取締役　K	令和5年8月25日重任
	東京都文京区ゆり町6番地 代表取締役　J	令和5年8月25日重任

別紙12

【ボタン株式会社の令和6年5月15日の最終の株主名簿の抜粋】

	氏名又は名称	株式の種類及び数
1	J	普通株式　　　1,200株
2	K	普通株式　　　　300株

　　株主の住所及び株式の取得年月日は省略。また，登録株式質権者は存在しない。

別紙13

就任承諾書

　　私は，令和6年6月25日開催の貴社株主総会において，貴社の取締役に選任されたので，その就任を承諾します。

　　令和6年6月27日

　　　　　　　　　　　　　住所　（略）
　　　　　　　　　　　　　氏名　G　　　　　　　　　㊞

　　株式会社サクラ　御中

就任承諾書

　私は，令和6年6月25日開催の貴社株主総会において，貴社の取締役に選任されたので，その就任を承諾します。

　令和6年6月28日

　　　　　　　　　　　　　　　　　住所　（略）
　　　　　　　　　　　　　　　　　氏名　H　　　　　　　　　　㊞

　株式会社サクラ　御中

別紙15
【司法書士石田小梅の聴取記録（令和6年4月3日）】

1　別紙3の取締役会は，取締役の全員が出席して開催された。

2　別紙3の議案については，令和6年3月14日付けで株主全員に対して会社法上必要な通知を行っており，また，自己株式の1株当たりの帳簿価額は，1万円である。

3　別紙3の議案については，株式の割当てを受ける権利を与えられた株主のうち，H及びIを除く全員から，申込期日までに適法な申込みがあり，払込期日までに申込みに係る払込金額の全額が払い込まれた。

4　別紙4の定時株主総会終結の後，株式会社サクラにおいて，株式会社サクラの電子公告を実施するウェブページアドレスにつき，「https://www.sakura.abc.jp/」と定められた。

5　別紙5は，株式会社サクラの令和6年1月31日の最終の株主名簿の抜粋であり，その後同年4月3日までの間に，別紙1から別紙6まで及び別紙15に現れている以外には，株主及びその有する株式数に変動はない。

6　別紙6の辞任届については，令和6年3月30日に株式会社サクラに提出された。

別紙16

【司法書士石田小梅の聴取記録（令和6年7月3日）】

1　株式会社サクラの株主及びその有する株式数は，令和6年4月3日から同年7月3日までの間に，別紙7から別紙14まで及び別紙16に現れている以外には，変動はない。また，株式会社サクラは，設立以来，別紙7から別紙14まで及び別紙16に現れている以外には，他の株式会社の株式を保有したことはない。

2　別紙7の令和6年6月25日開催の株式会社サクラの臨時株主総会には，当該株主総会の開催日において議決権を行使することができる株主全員が出席した。

3　別紙10の令和6年6月29日開催の株式会社サクラの取締役会には，当該取締役会の開催日における取締役全員が出席した。また，別紙10の取締役会の議事録に押されている印鑑は，全て市区町村に登録されている印鑑である。

4　別紙12は，ボタン株式会社の令和6年5月15日の最終の株主名簿の抜粋であり，その後同年7月3日までの間に，別紙7から別紙14まで及び別紙16に現れている以外には，株主及びその有する株式数に変動はない。

5　別紙8の株式交付計画に係る株式交付は，株式交付計画の記載のとおり効力が発生した。

6　ボタン株式会社において，株式交付の効力を生じさせるために必要な手続は，必要な時期までに適法に行われている。

7　別紙13及び別紙14の就任承諾書については，それぞれ就任承諾書に記載された日付である令和6年6月27日及び同月28日に株式会社サクラに提出された。

※答案用紙の筆記可能線（答案用紙の外枠の二重線）を越えて筆記をした場合、当該筆記可能線を越えた部分については採点されません。

第1欄

誰に帰属するか	
理　由	

第2欄（甲土地及び乙建物）

	(1)		(2)		(3)	
	甲土地	乙建物	甲土地	乙建物	甲土地	乙建物
登記の目的						
登記原因及びその日付						
申請事項等　上記以外の申請事項等						
添付情報						
登録免許税						
不動産の表示						

令和6年度
午後の部

第三十六問答案用紙

※答案用紙の筆記可能線（答案用紙の外枠の二重線）を越えて筆記をした場合、当該筆記可能線を越えた部分については採点されません。

第3欄（甲土地）

		(1)	(2)
登記の目的			
申請事項等	登記原因及びその日付		
	上記以外の申請事項等		
添付情報			
登録免許税			

第4欄

A	
B	
C	
D	
E	

第5欄（丙土地）

登記の目的	
登記原因及びその日付	
申請人	
登録免許税	

第1欄

[登記の事由]

[登記すべき事項]

[登記すべき事項] (続き)

[登録免許税額]

[添付書面の名称及び通数]

令和6年度
午後の部
第三十七問答案用紙

※答案用紙の筆記可能線(答案用紙の外枠の二重線)を越えて筆記をした場合、当該筆記可能線を越えた部分については採点されません。

第2欄

[登記の事由]

[登録免許税額]

[添付書面の名称及び通数]

[登記すべき事項]

第3欄

[登記することができない事項]

[理由]

令和6年度
司法書士試験

解説編 ▶

午前の部　解説

憲　　　　法

民　　　　法

刑　　　　法

商 法 ・ 会 社 法

午後の部　解説

民 事 訴 訟 法

民 事 保 全 法

民 事 執 行 法

司 法 書 士 法

供 　 託 　 法

不 動 産 登 記 法

商 業 登 記 法

不 動 産 登 記 記述式

商 業 登 記 記述式

1 解説編における条文の表記（略記）

　本文カッコ書きの法条数については，条数はアラビア数字によって，項数はローマ数字によって，号数は丸囲みの数字によって略記した。

（例）民111 I ① ＝民法第111条第1項第1号

2 解説編における主な法令等の略記

※　本年度の解説編には収録されていませんが，過去に出題された法令名（又は法令名の略記）も以下の表には並記されています。

本文中の表記	法令名	本文中の表記	法令名
（遺言書保管○）	法務局における遺言書の保管等に関する法律	（司書○）	司法書士法
		（司書規○）	司法書士法施行規則
（一般法人○）	一般社団法人及び一般財団法人に関する法律	（借地借家○）	借地借家法
		（宗教○）	宗教法人法
（一般法人施規○）	一般社団法人及び一般財団法人に関する法律施行規則	（商○）	商法
（一般法人登記規○）	一般社団法人等登記規則	（商登○）	商業登記法
（会○）	会社法	（商登規○）	商業登記規則
（会計規○）	会社計算規則	（信託○）	信託法
（会施規○）	会社法施行規則	（人訴○）	人事訴訟法
（仮担○）	仮登記担保契約に関する法律	（整備○）	会社法の施行に伴う関係法律の整備等に関する法律
（供託○）	供託法	（滞調○）	滞納処分と強制執行等との手続の調整に関する法律
（供託規○）	供託規則		
（行服○）	行政不服審査法	（宅建業○）	宅地建物取引業法
（刑○）	刑法	（登録税○）	登録免許税法
（軽犯○）	軽犯罪法	（破産○）	破産法
（憲○）	日本国憲法	（不登○）	不動産登記法
（公益認定○）	公益社団法人及び公益財団法人の認定等に関する法律	（不登規○）	不動産登記規則
		（不登令○）	不動産登記令
（工抵○）	工場抵当法	（民○）	民法
（工抵登記規○）	工場抵当登記規則	（民執○）	民事執行法
（国徴○）	国税徴収法	（民訴○）	民事訴訟法
（国通○）	国税通則法	（民訴規○）	民事訴訟規則
（裁○）	裁判所法	（民保○）	民事保全法
（採石○）	採石法	（民保規○）	民事保全規則

午前の部　解説

憲　法

第1問　　正解▶　**3**　　難易度★☆☆

本問は，表現の自由に関する出題である。

ア　**正しい**。「出版物が公務員又は公職選挙の候補者に対する評価，批判等に関するものである場合」における名誉権侵害を理由とする出版差止めについて，判例（**最大判昭和61・6・11**，北方ジャーナル事件）は，「**仮処分による事前差止**は，司法裁判所により，個別的な私人間の紛争について，当事者の申請に基づき差止請求権等の私法上の被保全権利の存否及び保全の必要性の有無を判断して発せられるものであり，**検閲には当たらないから**，名誉を違法に侵害された者は，人格権としての名誉権に基づき，加害者に対し，現実に行われている侵害行為を排除し，又は将来生ずべき侵害を予防するため，侵害行為の差止めを求めることができるが，人格権としての名誉権に基づく出版物の印刷，製本，販売，頒布等の事前差止めは，その**出版物が公務員又は公職選挙の候補者に対する評価，批判等に関するものである場合**には，原則として許されず，その**表現内容が真実でないか又は専ら公益を図る目的のものでないことが明白であって，かつ，被害者が重大にして著しく回復困難な損害を被る虞があるときに限り**，例外的に許される」と判示している。したがって，公務員又は公職選挙の候補者に対する評価，批判等の表現行為について，その表現内容が真実でなく，又はそれが専ら公益を図る目的のものでないことが明白であって，かつ，被害者が重大にして著しく回復困難な損害を被るおそれがある場合には，当該表現行為の事前差止めを認めても憲法第21条第1項に違反するものではないとする本肢は，判例の趣旨に照らし正しい。

イ　**誤り**。戸別訪問禁止規定の合憲性が問題となった事件において，判例（**最判昭和56・6・15**）は，「戸別訪問の禁止は，**意見表明それ自体の制約を目的とするものではなく，意見表明の手段や方法のもたらす弊害を防止し，もって選挙の公正を確保することを目的としている**。また，戸別訪問を一律禁止することと禁止目的との間に合理的関連性は認められる。さらに，この戸別訪問の禁止によって失われる利益は，単に，手段方法の禁止に伴う限度での間接的・付随的な制約に過ぎないが，禁止により得られる利益は選挙の自由と公正の確保であるから，得られる利益は失われる利益に比してはるかに大きいと言える。したがって，**戸別訪問を一律に禁止することは，合理的で必要やむを得ない限度を超えるものとは認められず，憲法第21条第1項に反しない**」と判示している。

したがって，本肢は，公職の選挙に関し戸別訪問を禁止する目的は，戸別訪問という手段方法がもたらす弊害を防止し，もって選挙の自由と公正を確保するという正当なものであるとしている点は，判例の趣旨に照らし正しいが，一律に戸別訪問を禁止することは，合理的でやむを得ない限度を超えて意見表明の自由を制約するものであり，当該目的との間に合理的な関連性があるということができず，憲法第21条第1項に「違反する」としている点が，判例の趣旨に照らし誤っている。

ウ　**誤り**。表現の自由と取材の自由につき，判例（**最決昭和53・5・31，外務省秘密漏洩事件**）は，「本件電文は，国家公務員法上，『秘密』に当たり，また，その取材行為は『そそのかし』に当たる。もっとも，報道機関が取材目的で公務員に対し秘密を漏示するようそそのかしたとしても，それだけで，**直ちに当該行為の違法性が推定されるべきではない。報道機関が公務員に対し根気強く執拗に説得又は要請を続けることは，それが報道目的から出たものであり，その手段・方法が法秩序全体の精神に照らし相当なものとして社会観念上是認されるものである限り，実質的に違法性を欠き正当な業務行為である**」と判示している。したがって，報道機関が，取材の目的で，公務員に対し，国家公務員法で禁止されている秘密漏示行為をするようそそのかす行為は，「その手段・方法にかかわらず」正当な取材活動の範囲を逸脱するものであるから，これを処罰しても，憲法第21条の趣旨に「反しない」とする本肢は，判例の趣旨に照らし誤っている。

エ　**正しい**。各室玄関ドアの新聞受けに政治的意見を記載したビラを投かんする目的で公務員宿舎である集合住宅の敷地等に管理権者の意思に反して立ち入った行為をもって刑法第130条前段の罪に問うことが，憲法第21条第1項に違反しないかが問題となった事件につき，判例（**最判平成20・4・11**）は，「確かに，表現の自由は，民主主義社会において特に重要な権利として尊重されなければならず，被告人らによるその政治的意見を記載したビラの配布は，表現の自由の行使ということができる。しかしながら，**憲法第21条第1項も，表現の自由を絶対無制限に保障したものではなく，公共の福祉のため必要かつ合理的な制限を是認するものであって，たとえ思想を外部に発表するための手段であっても，その手段が他人の権利を不当に害するようなものは許されない**というべきである（**最判昭和59・12・18参照**）。本件では，表現そのものを処罰することの憲法適合性が問われているのではなく，**表現の手段，即ち，ビラの配布のために『人の看守する邸宅』に管理権者の承諾なく立ち入ったことを処罰することの憲法適合性**が問われているところ，本件で被告人らが立ち入った場所は，防衛庁の職員及びその家族が私的生活を営む場所である集合住宅の共用部分及びその敷地であり，自衛隊・防衛庁当局がそのような場所として管理していたもので，一般に人が自由に出入りすることのできる場所ではない。たとえ表現の自由の行使のためとはいっても，このような場所に管理権者の意思に反して立ち入ることは，管理権者の管理権を侵害するのみならず，そこで私的生活を営む者の私生活の平穏を侵害するものといわざるを得ない。したがって，

本件被告人らの行為をもって刑法第130条前段の罪＜住居侵入罪＞に問うことは，**憲法第21条第1項に違反するものではない**。このように解することができることは，当裁判所の判例（**最大判昭和43・12・18，最大判昭和45・6・17**）の趣旨に徴して明らかである。」と判示している。したがって，公務員及びその家族が私的生活を営む場所であり一般に人が自由に出入りすることのできる場所ではない集合住宅の共用部分及び敷地に管理権者の意思に反して立ち入ることは，それが政治的意見を記載したビラの配布という表現の自由の行使のためであっても許されず，当該立入り行為を刑法上の罪に問うことは，憲法第21条第1項に違反するものでないとする本肢は，判例の趣旨に照らし正しい。

オ　**正しい**。判例（**最大判平成元・3・8**）は，法廷内メモ禁止事件（レペタ事件）で，「筆記行為の自由は，憲法第21条第1項の規定により直接保障されている表現の自由そのものとは異なり，その制限又は禁止に厳格な基準は要求されないが，傍聴人が法廷においてメモを取ることは，その**見聞する裁判を認識，記憶するためになされる限り尊重に値し**，公正かつ円滑な訴訟の運営を妨げるという特別の事情のない限り，故なく妨げられてはならない」と判示している。したがって，傍聴人が法廷においてメモを取ることは，その見聞する裁判を認識，記憶するためになされるものである限り，憲法第21条第1項の規定の精神に照らして尊重されるべきであり，理由なく制限することはできないとする本肢は，判例の趣旨に照らし正しい。

以上により，判例の趣旨に照らし誤っているものは，**イ及びウ**であるから，**3**が正解となる。

第2問　　正解▶　3　　難易度★☆☆

本問は，学問の自由及び教育の自由に関する出題である。

ア　**誤り**。判例（**最大判昭和51・5・21，旭川学力テスト事件**）は，「学問の自由を保障した憲法第23条により，学校において現実に子どもの教育の任にあたる教師は，教授の自由を有し，公権力による支配，介入を受けないで自由に子どもの教育内容を決定することができるとする見解も，採用することができない。確かに，憲法の保障する学問の自由は，単に学問研究の自由ばかりでなく，その結果を教授する自由をも含むと解されるし，さらにまた，専ら自由な学問的探求と勉学を旨とする大学教育に比してむしろ知識の伝達と能力の開発を主とする普通教育の場においても，例えば教師が公権力によって特定の意見のみを教授することを強制されないという意味において，また，子どもの教育が教師と子どもとの間の直接の人格的接触を通じ，その個性に応じて行われなければならないという本質的要請に照らし，教授の具体的内容及び方法につき，ある程

度自由な裁量が認められなければならないという意味においては，一定の範囲における教授の自由が保障されるべきことを肯定できないではない。しかし，大学教育の場合には，学生が一定の教授内容を批判する能力を備えていると考えられるのに対し，**普通教育においては，児童生徒にこのような能力がなく，教師が児童生徒に対して強い影響力，支配力を有することを考え，また，普通教育においては，子どもの側に学校や教師を選択する余地が乏しく，教育の機会均等を図る上からも全国的に一定の水準を確保すべき強い要請があること等に思いを致すときは，普通教育における教師に完全な教授の自由を認めることは，到底許されない。**」と判示している。したがって，「普通教育」における教師にも，大学教育における場合に認められるのと「同程度」の教授の自由が「認められる」とする本肢は，判例の趣旨に照らし誤っている。

イ **正しい**。学問の自由（憲23）の内容としては，学問研究の自由のほか，「**研究発表の自由**」，教授の自由が認められている。確かに，学問の自由の核心は，真理の発見・探求を目的とする学問研究の自由であるが，研究の結果を外界に向かって発表することができないのであれば，研究そのものがほぼ無意味になるので，学問の自由は，当然に研究発表の自由を含むと解されているのである。したがって，研究発表の自由は，表現の自由の一部であるが，学問の自由によっても保障されるとする本肢は，正しい。

ウ **正しい**。学校による生徒募集の際に説明，宣伝された教育内容や指導方法の一部が変更され，これが実施されなくなったことが，親の期待，信頼を損なう違法なものとして不法行為を構成するかが争われた事案において，判例（最判平成21・12・10）は，「親は，子の将来に対して最も深い関心を持ち，かつ，配慮をすべき立場にある者として，子の教育に対する一定の支配権，即ち，**子の教育の自由を有する**と認められ，このような親の教育の自由は，主として家庭教育等学校外における教育や学校選択の自由にあらわれるものと考えられる」と判示している。したがって，親は，子の将来に関して最も深い関心を持ち，かつ，配慮をすべき立場にある者として，憲法上，子の教育の自由を「有する」とする本肢は，判例の趣旨に照らし正しい。

エ **誤り**。研究発表の自由に関連して，教科書検定が憲法第23条に違反しないか問題となるが，判例（最判平成5・3・16，第一次家永訴訟）は「教科書は，教科課程の構成に応じて組織配列された教科の主たる教材として，普通教育の場で使用される児童，生徒用の図書であって，**学術研究の結果の発表を目的とするものではないから，研究発表の自由を制限するものではない**」と判示している。したがって，教科書検定による審査が，単なる誤記，誤植等の形式的なものにとどまらず，教育内容に及び，かつ，普通教育の場において検定に合格した教科書の使用義務を課す場合には，教科書検定制度は，学問の自由を保障した憲法に「違反する」とする本肢は，判例の趣旨に照らし誤っている。

オ **誤り**。大学における学生の集会につき，判例（**最大判昭和38・5・22**，東大ポポロ座事件）は，「大学の学問の自由と自治は，直接には教授その他の研究者の研究及び教授

の自由とこれらを保障するための自治を意味し，その効果として，学生にも学問の自由と施設の利用が認められる。大学での学生集会が，**真に学問的な研究又はその結果の発表ではなく，実社会の政治的社会的活動に当たる行為をする場合**には，学生に大学の有する学問と自由と自治は**保障されない**。また，学生集会が一般の公衆の入場を許す場合には，**公開の集会又はこれに準じるものというべきである**。劇団の発表会は，実社会の政治的社会的活動であり，かつ，公開の集会に準じるものであるから，**警察官が当該発表会に立ち入ったとしても，大学の学問の自由と自治を犯すものではない。**」と判示している。したがって，大学における学生の集会は，真に学問的な研究又はその結果の発表のためのものではなく，実社会の政治的社会的活動に当たる行為をする場合であっても，大学の有する特別の学問の自由と自治を「享有し」，当該集会に警察官が立ち入ることは大学の学問の自由と自治を「侵害する」とする本肢は，判例の趣旨に照らし誤っている。

以上により，判例の趣旨に照らし正しいものは，イ及びウであるから，3が正解となる。

第3問　　正解▶ **5**　　難易度★☆☆

本問は，裁判所の組織と権能に関する出題である。

ア　誤り。最高裁判所は，その長たる裁判官（最高裁判所長官）及び「法律」（裁 5 Ⅲ）の定める員数（14人）のその他の裁判官（最高裁判所判事，裁 5 Ⅰ）でこれを構成し，その「**長たる裁判官以外の裁判官**」は，「**内閣**」でこれを任命する（憲79Ⅰ，天皇が認証，憲 7 ⑤，裁39Ⅲ）が，「**最高裁判所の長たる裁判官**」は，「**天皇**」が，「**内閣の指名**」に基いて任命するとされている（憲 6 Ⅱ）。したがって，長たる裁判官に限定せずに，およそ最高裁判所の「裁判官」は，内閣の指名に基づいて，天皇が任命するとしている本肢は，誤っている。

イ　誤り。「裁判官」は，①裁判所の訴訟手続によって**心身の故障のため職務を執ることができないと決定された場合**のほか，②**公の弾劾により罷免される**（**憲78前段**）。したがって，裁判官は，裁判により，心身の故障のために職務を執ることができないと決定された場合を「除いては」，罷免されないとする本肢は，誤っている。なお，「最高裁判所の裁判官」の場合は，国民審査によっても罷免される（憲79Ⅱ・Ⅲ）。判例（**最大判昭和27・2・20**）は，最高裁判所裁判官の任命に係る国民審査制度は，いわゆる**解職の制度**であると解している（肢エ参照）。

ウ　誤り。行政機関は，「**終審**」として裁判を行うことができないとされている（憲76Ⅱ**後段**）。司法作用を統一的に裁判所の権限とするものである。もっとも本条の反対解釈として，行政機関であっても，「**前審**」としてなら**裁判をすることができる**と解されて

いる（**裁3Ⅱ**）。即ち，裁判所への出訴権を否定しない限り認められるということである。例えば，公正取引委員会が，独占禁止法に基づいて行う審決などがその例として挙げられている。したがって，行政機関が裁判所の「前審」として裁判を行う制度は，特別裁判所の設置を禁止する憲法に「違反する」とする本肢は，誤っている。

エ　**正しい**。国民審査（憲79Ⅱ・Ⅲ）の性質については，最高裁判所の裁判官の任命の可否を国民に問う制度であると解する見解（信任投票説）もあるが，判例（**最大判昭和27・2・20**）は，国民審査の制度はその実質においていわゆる「**解職の制度**」とみることができるとしている。したがって，最高裁判所の裁判官の任命に関する国民審査の制度は，任命行為を完成させるか否かを審査するものではなく，実質的には解職の制度であるとする本肢は，判例の趣旨に照らし正しい。

オ　**正しい**。裁判の「対審」及び「判決」は，原則としては，公開法廷で行わなければならない（憲82Ⅰ）が，例外として，「**対審**」については，「**裁判官の全員の一致**」で，「**公の秩序又は善良の風俗を害する虞があると決した場合**」には，公開しないで行うことができるとされている（憲82Ⅱ本文）。ただし，**政治犯罪，出版に関する犯罪又は憲法第三章で保障する国民の権利が問題となっている事件の対審は，「常に」これを公開しなければならないとされている**（憲82Ⅱただし書）。したがって，裁判所は，政治犯罪，出版に関する犯罪又は憲法第3章で保障する国民の権利が問題となっている事件を除き，裁判官の全員一致で公の秩序又は善良の風俗を害するおそれがあると決した場合には，対審を公開しないで行うことができるとする本肢は，正しい。

　以上により，判例の趣旨に照らし正しいものは，**エ**及び**オ**であるから，**5**が正解となる。

民 法

第4問　　**正解▶　5**　　**難易度★☆☆**

> 本問は，未成年者に関する出題である。

ア　正しい。 未成年者が法律行為をするには，原則として，法定代理人の同意が必要であり（民5Ⅰ本文），同意を得ないで未成年者がした法律行為は取り消すことができる（民5Ⅱ）。しかし，法定代理人が「目的を定めて処分を許した財産」（民5Ⅲ前段）のほか，「**目的を定めないで処分を許した財産**」（小遣銭等）についても，未成年者は，法定代理人の同意は要せず，**自由に処分することができる**とされている（**民5Ⅲ後段**）。したがって，本肢は正しい。

イ　正しい。 意思表示の相手方がその意思表示を受けた時に「**未成年者**」又は成年被後見人であったときは，原則として，その意思表示をもってその相手方に「**対抗**」することができない（民98の2本文）が，「**相手方の法定代理人**」がその意思表示を知った後は，改めて法定代理人に意思表示をしなくても対抗することができるとされている（**民98の2ただし書・①**）。したがって，本肢は正しい。法定代理人が意思表示を知った以上，法定代理人がそれに対する対応を採ることができる状況になるからである。

ウ　誤り。 未成年者が財産上の「法律行為」をするには，原則としてその法定代理人の「同意」を得なければならない（民5Ⅰ本文）が，「**単に**」権利を得（「単純贈与」を受けること），又は義務を免れる（債務免除の申込を受諾すること）法律行為（未成年者にとって利益にこそなれ何らの不利益を受けない行為）については，法定代理人の同意を要しないとされている（**民5Ⅰただし書**）。しかし，「負担付」贈与の申込みを承諾することは，単に権利を得る法律行為ではないので，法定代理人の同意が必要である（民13Ⅰ⑦参照）。したがって，未成年者は，その法定代理人の同意を得ないで，「負担付」贈与の申込みを承諾することが「できる」とする本肢は，誤っている。

エ　正しい。 認知をするには，父又は母が「**未成年者**」又は成年被後見人であるときであっても，その**法定代理人の同意を要しない**とされている（**民780**）。したがって，本肢は正しい。これは，認知は身分的法律行為であるので，本人の意思を尊重すべきと考えられたからである。

オ　誤り。 子の氏の変更の手続きは，未成年者（民4）であっても，「**15歳に達している場合**」は，未成年者が自ら単独で有効に行うことができるとされている（**民791Ⅲ**）。しかし，家庭裁判所の許可を得ることなく，戸籍法の定めるところにより届け出ることによって，父母の氏を称することができるのは，①**父又は母が氏を改めたことにより子が父母と氏を異にする場合**で，②「**父母の婚姻中**」に限り，認められている（**民791Ⅱ**）。

したがって，「父母の離婚」により父又は母と氏を異にした場合には，「家庭裁判所の許可」を得て，戸籍法＜戸籍98Ⅰ＞の定めるところにより「届け出る」ことによって，その父又は母の氏を称することができるので（民791Ⅰ），「家庭裁判所の許可を得ることなく」，戸籍法の定めるところにより届け出ることによって，その親権者である父又は母の氏を称することが「できる」とする本肢は，誤っている。

以上により，誤っているものは，**ウ及びオ**であるから，**5**が正解となる。

第5問　　正解▶　**3**　　難易度★☆☆

> **本問は，条件に関する出題である。**

ア　誤り。条件が法律行為の時に「既に成就」していた場合において，その条件が「停止条件」であるときはその法律行為は「無条件」とし（**民131Ⅰ前段**），条件が「成就しない」ことが法律行為の時に既に確定していた場合において，その条件が「停止条件」であるときはその法律行為は「無効」とする（**民131Ⅱ前段**）とされている。したがって，「停止条件」が「成就しない」ことが法律行為の時に既に確定していた場合には，その法律行為は，無効となるのであって，「無条件」となるとする本肢は，誤っている。

イ　正しい。「停止」条件付法律行為は，その条件が単に債「**務**」者の意思のみに係るときは，「**無効**」とするとされている（**民134**）。したがって，本肢は正しい。例えば，私がその気になったら，100万円贈与するという契約がこれに当たる。このような場合，債務者には債務を負担する意思がないとみられるので，当事者を法的に拘束する意味はないことから，無効としたのである。

ウ　正しい。旧民法には，「故意に条件を成就させた場合」の規定は存しなかったので，令和2年4月1日施行の改正により，「条件が**成就することによって利益を受ける当事者が不正にその条件を成就させたときは，相手方は，その条件が成就しなかったものとみなすことができる。**」との規定（**民130Ⅱ**）が追加された。したがって，本肢は正しい。なお，「不正」とは，「故意に条件を付した趣旨に反して」という意味である。

エ　誤り。法律行為に条件が付けられると，法律効果の発生又は存続が不確定となるから，法律効果が確定的に発生し，又は確定的に存続することを必要とする法律行為には，条件を付けることは許されないと解されている。なお，婚姻・普通養子縁組・**認知**・相続の承認もしくは放棄に条件を付ける場合のように，強行規定又は公序良俗に反する結果となる場合には，条件を付けることは絶対に許されないとされている。したがって，「**認知**」には条件を付すことが「**できる**」とする本肢は，誤っている。

オ　誤り。不法な条件を付した法律行為のみならず，不法な行為を「**しない**」ことを条件とするものも，**無効**とするとされている（**民132**）。不法な行為をしないことは，社会

秩序維持の要請から当然のことであり，これを条件とすることを許すことは，当事者が不法な行為を承認することを前提とする点で，公序良俗に反するからである。したがって，不法な行為を「しない」ことを条件とする法律行為は，「無条件」となるとする本肢は，誤っている。

以上により，正しいものは，**イ及びウ**であるから，**3**が正解となる。

第6問　　正解▶　**5**　　難易度★☆☆

本問は，時効に関する出題である。

ア　誤り。「自己の物」に対する時効取得の可否につき，判例（最判昭和42・7・21）は，「所有権に基づいて不動産を占有する者であっても，登記を経由していないため所有権取得の立証が困難であったり，所有権の取得を第三者に対抗できない等の場合においては，取得時効による権利取得を主張できると解することが時効制度の趣旨にも合致するものであり，民法第162条が時効取得の対象物を他人の物としているのも，通常は自己の物について取得時効を援用することは無意味であるからにすぎない。したがって，**民法第162条所定の占有者には，権利なくして占有をした者のほか，所有権に基づいて占有をした者をも包含する。**」と判示している。したがって，不動産の贈与を受け，「所有権に基づいて」自己の物として不動産を占有する者は，当該不動産について，取得時効を理由として所有権を有することを主張することが「できない」とする本肢は，判例の趣旨に照らし誤っている。

イ　誤り。「期限の定めのない債権」については，履行遅滞に陥る時期は「履行の請求を受けた時」である（民412Ⅲ）が，消滅時効の起算点は，「**債権成立ないし発生の時**」と解されている。したがって，期限の定めのない債権の消滅時効は，「債務者が履行の請求を受けた時」から進行するとする本肢は，誤っている。

ウ　誤り。判例（**最判平成11・10・21**）は，「**後順位抵当権者**」は，目的不動産の価格から先順位抵当権によって担保される債権額を控除した価額についてのみ優先して弁済を受ける地位を有するにすぎず，先順位抵当権者の被担保債権が消滅することにより後順位抵当権者の順位が上昇し，被担保債権に対する配当額が増加することがあり得るとしても，**この配当額の増加に対する期待は抵当権の順位の上昇によってもたらされる反射的利益にすぎない**から，後順位抵当権者は，先順位抵当権者の被担保債権の消滅により**直接利益を受ける者**（正当な利益を有する者）**に該当せず**，先順位抵当権者の被担保債権の消滅時効を**援用することができない**としている。したがって，後順位抵当権者は，先順位抵当権の被担保債権の消滅により「当該後順位抵当権者に対する配当額が増加する場合」には，当該先順位抵当権の被担保債権の消滅時効を援用することが「できる」

とする本肢は，判例の趣旨に照らし誤っている。

エ　**正しい**。民法は，日，週，月又は年によって期間を定めたときは，その期間が午前零時から始まるときを除き，期間の初日は算入しないこととしている（**民140**）。そして，判例（**大判昭和6・6・9**）は，「消滅時効の起算点は，初日を算入しない」としている。したがって，時効期間を計算するに当たっては，その期間が午前零時から始まるときを除き，期間の初日は算入しないとする本肢は，判例の趣旨に照らし正しい。

オ　**正しい**。時効の利益の放棄の効力につき，判例（**大判大正5・12・25**）は，時効の利益の放棄は**相対的効力**を有するにすぎないから，主たる債務者がなした時効の利益の放棄は，**保証人に対してはその効力は及ばず**，保証人は，なお消滅時効を援用することができるとしている。したがって，主たる債務者が主たる債務について時効の利益を放棄した場合においても，保証人は，主たる債務の消滅時効を援用することが「できる」とする本肢は，判例の趣旨に照らし正しい。

　　　以上により，判例の趣旨に照らし正しいものは，エ及びオであるから，5が正解となる。

第7問　　正解▶　4　　難易度★☆☆

> **本問は，占有に関する出題である。**

ア　**誤り**。占有者は，「**所有の意思**」をもって，「**善意**」で，「**平穏**」に，かつ，「**公然**」と占有をするものと「**推定**」するとされている（**民186 I**）。したがって，本肢の学生の解答は，占有者が「**善意**」であることは推定されないとしている点が，誤っている。

イ　**誤り**。「**悪意**」の占有者は，果実を返還するのみならず，既に消費し，過失によって損傷し，又は**収取を怠った果実**についても，その**代価を償還**する義務を負うとされている（**民190 I**）。適当な時期に真の権利者が果実を収取できなかった損害を過失ある悪意の占有者に賠償させる趣旨である。したがって，収取を怠った果実の代価を償還する義務は「負わない」とする本肢の学生の解答は，誤っている。

ウ　**正しい**。善意の占有者は現に利益を受けている限度において賠償する義務を負う（**民191本文**）のが原則であるが，善意の占有者でも，賃借人や受寄者等の「**所有の意思のない占有者**」は，善意であるときであっても，「**全部**」の損害を賠償しなければならないとされている（**民191ただし書**）。善意であっても，回復者に返還しなければならないことを知っているからである。したがって，所有の意思のない善意の占有者は損害の全部の賠償をする義務を負うとする本肢の学生の解答は，正しい。

エ　**誤り**。「**善意**」の占有者は，占有物から生ずる「**果実**」を取得する（**民189 I**）が，善意の占有者が本権の訴えにおいて敗訴したときは，その「**訴えの提起の時**」から悪意の占有者と「**みなす**」とされている（**民189 II**）。本権の訴えが提起された後は，例え

占有者の確信が動かなかったときでも，その時以後の果実を占有者に取得させることは妥当でないからである。ただし，この場合，悪意の占有者とみなされるのは訴えの提起の時であって，「占有を始めた時にさかのぼって」悪意の占有者とみなされるわけではないので，本肢の学生の解答は誤っている。したがって，訴えの提起の時までの間の果実収取権は妨げられないことに注意しておく必要がある。

オ　**正しい**。占有者の善意悪意の判断時期につき，判例（**最判昭和53・3・6**）は，10年の取得時効の要件としての占有者の善意・無過失の存否については占有開始の時点においてこれを判定すべきものとする民法第162条第2項の規定は，時効期間を通じて占有主体に変更がなく同一人により継続された占有が主張される場合について適用されるだけではなく，**占有主体に変更があって承継された2個以上の占有が併せて主張される場合（民187Ⅰ）についてもまた適用される**ものであり，後者の場合には，その「**主張にかかる最初の占有者につきその占有開始の時点**」においてこれを判定すれば足りると判示している。したがって，被相続人の占有を併せて主張する場合には，相続人が占有を始めた時に悪意であっても，「善意」と判定されるとする本肢の学生の解答は，判例の趣旨に照らし正しい。

以上により，**学生の解答のうち判例の趣旨に照らし正しいものは，ウ及びオ**であるから，**4**が正解となる。

第8問　　正解▶　**4**　　難易度★★☆

> **本問は，相隣関係に関する出題である。**

ア　**正しい**。溝，堀その他の水流地の所有者は，異なる慣習があるときを除き（民219Ⅲ），対岸の土地が「**他人の所有に属する**」ときは，その水路又は**幅員を変更してはならない**とされている（**民219Ⅰ**）。本問では，別段の慣習の有無を考慮する必要はないとされているが，対岸の土地の所有者の承諾を得たとしても，変更してはならないとする趣旨ではないと解されるから，堀の所有者は，対岸の土地が他人の所有に属するときは，「当該土地の所有者の承諾を得なければ」，当該堀の幅員を変更してはならないとする本肢は，正しいと解する。

イ　**誤り**。通水用工作物の使用につき，民法は，「土地の所有者は，その**所有地の水を通過させるため，高地又は低地の所有者が設けた工作物を使用する**ことができる。」と規定している（**民221Ⅰ**）。この場合には，「他人の工作物を使用する者は，その**利益を受ける割合に応じて**，工作物の設置及び保存の**費用を分担**しなければならない。」とはされている（**民221Ⅱ**）が，「高地又は低地の所有者の同意」を得なければならないとはされていない。したがって，土地の所有者は，その所有地の水を通過させるに当たり，

— 137 —

「低地の所有者の承諾を得なければ」，当該低地の所有者が設けた工作物を使用することは「できない」とする本肢は，誤っている。

ウ　**正しい。** 水流地の所有者は，堰を設ける必要がある場合には，対岸の土地が「他人の所有に属するとき」であっても，その**堰を対岸に付着させて設けることができる**が，これによって生じた損害に対して「償金」を支払わなければならないとされている（民222 I）。したがって，水流地の所有者は，他人が所有する対岸の土地に付着させて堰を設けたときは，これによって生じた損害に対して償金を支払わなければならないとする本肢は，正しい。

エ　**誤り。** 令和5年4月1日施行の改正により，継続的給付を受けるための設備の設置権等につき，「土地の所有者は，**他の土地に設備を設置し**，又は他人が所有する設備を使用し**なければ電気**，ガス又は水道水の供給その他これらに類する継続的給付（以下この項及び次条第1項において「継続的給付」という。）を受けることができないときは，継続的給付を受けるため**必要な範囲内で**，**他の土地に設備を設置し**，又は他人が所有する設備を使用することができる。」との規定（民212の3 I）が新設された。したがって，土地の所有者は，他の土地に設備を設置しなければ電気の供給を受けることができない場合であっても，「当該他の土地の所有者の承諾を得なければ」，当該設備を設置することはできないとする本肢は，誤っている。なお，この場合は，他の土地に設備を設置し，又は他人が所有する設備を使用する者は，あらかじめ，その目的，場所及び方法を「他の土地等の所有者」及び他の土地を現に使用している者に「通知」しなければならないとされている（民212の3 III）。

オ　**正しい。** 土地の所有者は，境界又はその「付近」における「障壁」，建物その他の工作物の築造，収去又は「修繕」のため必要な範囲内で，隣地の使用を請求することができる（民209 I ①）が，**住家については，その居住者の（任意の）承諾**がなければ，立ち入ることはできないとされている（民209 I ただし書）。隣人の人格的利益を侵害する可能性があるからである。したがって，土地の所有者が境界付近における障壁の修繕をするために隣地を使用する必要がある場合であっても，隣地上の「住家」については，その「居住者の承諾」を得なければ，立ち入ることはできないとする本肢は，正しい。

以上により，誤っているものは，イ及びエであるから，4 が正解となる。

第9問　　正解▶　4　　難易度★☆☆

> **本問は，共有物の分割に関する出題である。**

ア　**正しい。** 各共有者は，「いつでも」共有物の分割を請求することができる（民256 I 本文）が，「5年を超えない」期間内は分割をしない旨の契約をすることを妨げないと

— 138 —

されている（**民256Ⅰただし書，不登59⑥**）。したがって，本肢は正しい。

イ　**正しい**。共有物の分割について共有者間に協議が「調わない」ときのほか，そもそも**協議を「することができない」**ときも，その分割を「**裁判所**」に請求することができるとされている（**民258Ⅰ**）。したがって，共有者は，他の共有者が所在不明であることにより，共有物の分割についての「協議をすることができない」場合には，裁判所に共有物の分割を請求することができるとする本肢は，正しい。

ウ　**誤り**。裁判による共有物の分割の方法につき，旧法は，共有者間の協議が調わない場合には原則として現物分割の方法により，現物分割が不可能か分割によって価値が著しく低下する場合に競売での分割を行うとのみ規定していた（**旧民258Ⅱ**）が，判例（**最判平成8・10・31**）は，「当該共有物の性質及び形状，共有関係の発生原因，共有者の数及び持分の割合，共有物の利用状況及び分割された場合の経済的価値，分割方法についての共有者の希望及びその合理性の有無等の事情を総合的に考慮し，当該共有物を共有者のうちの特定の者に取得させるのが相当であると認められ，かつ，その価格が適正に評価され，当該共有物を取得する者に支払能力があって，他の共有者にはその持分の価格を取得させることとしても共有者間の実質的公平を害しないと認められる特段の事情が存するときは，**共有物を共有者のうちの一人の単独所有又は数人の共有とし，これらの者から他の共有者に対して持分の価格を賠償させる方法**（全面的価格賠償の方法）による分割をすることも許される」と判示していた。そこで，令和5年4月1日施行の改正（以下，単に「改正」という。）により，裁判による共有物の分割の方法につき，「裁判所は，①共有物の現物を分割する方法（現物分割），**②共有者に債務を負担させて，他の共有者の持分の全部又は一部を取得させる方法**（賠償分割）により，共有物の分割を命ずることができる。」と規定された（**民258Ⅱ**）。したがって，裁判所は，「共有物の現物を分割する方法により共有物を分割することができない場合に限り」，共有者に債務を負担させて，他の共有者の持分の全部又は一部を取得させる方法により共有物の分割を命ずることができるとする本肢は，誤っている。

エ　**誤り**。判例（**最判昭和62・9・4**）は，**遺産相続により相続人の共有となった財産の分割**については，**家事事件手続法による家庭裁判所の審判によるべき**で，民法第258条による共有物分割請求の訴えは不適法であるとしていた。そこで，改正により，「共有物の全部又はその持分が**相続財産に属する場合**において，共同相続人間で当該共有物の全部又はその持分について**遺産の分割をすべきとき**は，当該共有物又はその持分について**前条の規定による分割**＜民258，裁判による共有物の分割＞をすることが**できない**。」との規定（**民258の2Ⅰ**）が新設された。したがって，甲土地を所有していたAが死亡し，B及びCがAを相続した場合において，甲土地の分割についてBC間で協議が調わないときは，B又はCは，遺産分割の審判を申し立てずに，共有物分割の訴えを「提起することができる」とする本肢は，誤っている。

オ　正しい。 共有物の分割への参加につき，民法は，「**共有物について権利を有する者**」及び「各共有者の債権者」は，「自己の費用」で，分割に参加することができると規定している（**民260Ⅰ**）。したがって，「Ａ及びＢが共有する甲土地について抵当権」を有するＣは，甲土地の分割に参加することができるとする本肢は，正しい。

以上により，誤っているものは，**ウ及びエ**であるから，**4** が正解となる。

第10問　正解▶ 3　難易度★☆☆

> **本問は，地役権に関する出題である。**

ア　正しい。 地役権は要役地の便益のために存在する権利であるから，要役地の所有権が移転すれば，これに随伴して地役権も当然に移転する（**民281Ⅰ**）。そして，判例（**大判大正13・3・17**）は，要役地につき「所有権移転登記」を経由すれば，地役権の移転を「承役地の所有者」及びその一般承継人に対抗することができるとしている。なお，現行不動産登記法上は，そもそも地役権については「移転登記」をすること自体が予定されていない（**不登80Ⅱ，昭和35・3・31民甲712号通達**）。したがって，Ａ所有の甲土地にＢ所有の乙土地のための地役権が設定され，その後，ＢがＣに乙土地を売却し，「その旨の登記がされた場合」には，Ｃは，「Ａ」に対し，甲土地の地役権を主張することが「できる」とする本肢は，正しい。

イ　誤り。 判例（**最判平成10・2・13**）は，通行地役権の承役地が譲渡された場合において，譲渡の時に，その承役地が要役地の所有者によって継続的に「通路として使用されていること」がその位置，形状，構造等の物理的状況から客観的に明らかであり，かつ，譲受人が「そのこと」を認識していたか又は**認識することが可能であったとき**は，譲受人は，「通行地役権が設定されていること」を知らなかったとしても，特段の事情がない限り，地役権設定登記の欠缺を主張するについて正当な利益を有する第三者に当たらないとしている。したがって，Ａ所有の甲土地にＢ所有の乙土地のための通行地役権が設定され，その後，ＡがＣに甲土地を売却した場合において，その売却の時に，甲土地がＢによって継続的に使用されていることがその位置，形状，構造等の物理的状況から客観的に明らかであり，Ｃがそのことを「認識することが可能」であったとしても，Ｃが通行地役権が設定されていることを「知らなかったとき」は，Ｂは，地役権の設定の登記がなければ，Ｃに対し，甲土地の通行地役権を「主張することができない」とする本肢は，判例の趣旨に照らし誤っている。

ウ　正しい。 土地の共有者の１人は，**その持分につき**，その土地のために又はその土地について存する地役権を**消滅させることができない**とされている（**民282Ⅰ**）。即ち，共有者の一人につき地役権の消滅事由が生じたとしても，これにより，その持分に関わる

地役権は消滅することはないのである。これを地役権の「不可分性」という。したがって、A所有の甲土地に、「B、C及びDが共有する乙土地」のための地役権が設定されている場合には、Bは、「乙土地の自己の持分」につき、当該地役権を消滅させることが「できない」とする本肢は、正しい。

エ　**誤り**。土地の分割又はその一部の譲渡の場合には、**地役権がその性質により土地の一部のみに関するときを除き**、地役権は、その各部のために又はその各部について存するとされている（民282Ⅱ）。したがって、A所有の甲土地にB所有の乙土地上の「丙建物からの眺望を確保」するための地役権が設定されている場合において、Bが乙土地のうち「丙建物が存しない部分」をCに譲渡したときは、当該地役権は、Cが取得した土地については存続しないので、Cが取得した土地のためにも「存続する」とする本肢は、誤っている。

オ　**正しい**。地役権は、「継続的」に行使され、「かつ」、**「外形上認識することができる」**ものに限り、時効によって取得することができるとされている（民283）。外形上の認識可能性が要求される趣旨は、外形上認識することができない地役権は承役地所有者の時効の完成猶予の機会を確保し難く、かかる状態で地役権の時効取得を認めることは公平を欠くことにある。したがって、Aが、B所有の甲土地の「地中に通された送水管」を使用して、「外形上認識し得ない形で」A所有の乙土地への引水を継続して行っていた場合には、Aは、乙土地のための甲土地の引水地役権を時効によって取得することが「できない」とする本肢は、正しい。

　以上により、**判例の趣旨に照らし誤っているものは、イ及びエであるから、3が正解**となる。

第11問　　正解▶　3　　難易度★☆☆

本問は、民法上の留置権に関する出題である。

ア　**正しい**。留置権は物権であるから、目的物を取得した全ての者に対して主張することができる。判例（**最判昭和47・11・16**）も、不動産の買主が売主に売買代金を支払わないままにこれを第三者に譲渡した場合には、その第三者が売主に対し不動産の引渡しを請求したことに対し、売主は未払代金債権を被担保権とする留置権の抗弁を主張することができるとしている。したがって、AがBに対して甲建物を売却した後、Aが甲建物を引き続き占有していたが、Bがその代金全額を支払う前に甲建物をCに対して売却した場合において、CがAに対して甲建物の明渡しを請求したときは、Aは、Bに対する売買代金債権を被担保債権として留置権を主張することが「できる」とする本肢は、判例の趣旨に照らし正しい。

イ　誤り。不動産が二重に譲渡された場合において，第二の買主のために所有権移転登記がなされたときは，売主の第一の買主に対する債務は履行不能となり，損害賠償債務となる（民415 I 本文）。しかし，判例（**最判昭和43・11・21**）は，第一の買主は，第二の買主から明渡しを請求された場合，**売主に対して有するこの損害賠償請求権に基づき，第二の買主に対して留置権を主張することはできない**と解している。そもそも，第一の買主の売主に対する債権は「**物自体を目的とするもの**」であって，物との間に牽連性がない以上，その変形物にすぎない損害賠償請求権にも牽連性（民295 I 本文）がないからである。実質的にも，第一の買主が目的物を留置することによって，売主の損害賠償債務の履行が促されるという関係にはない。したがって，AがBに対して甲建物を売却して引き渡した後，AがCに対して甲建物を売却し，その旨の登記がされた場合において，CがBに対し甲建物の明渡しを請求したときは，Bは，Aに対する債務不履行に基づく損害賠償請求権を被担保債権として留置権を主張することが「**できる**」とする本肢は，判例の趣旨に照らし誤っている。

ウ　誤り。判例（**大判昭和9・6・30**）は，借家人が「**建物**」につき留置権を有する場合でも，建物所有者ではない「**土地所有者からの土地明渡請求**」に対して当然にその**土地をも留置しうる権利を有するものではない**としている。したがって，A所有の甲土地を賃借したBが，甲土地上に乙建物を建築し，Cに乙建物を賃貸した場合において，Cが乙建物について必要費を支出した後，Bの賃料不払を理由にAB間の賃貸借契約が解除され，AがCに対して乙建物からの退去及び甲土地の明渡しを請求したときは，Cは，Bに対する必要費償還請求権を被担保債権とする留置権を主張して，「**甲土地の明渡し**」を拒むことはできないので，「**できる**」とする本肢は，判例の趣旨に照らし誤っている。

エ　正しい。譲渡担保権が適法に実行された場合であっても，担保物の価値が被担保債権の価額を上回る場合，担保物全体の価値を担保権者が取得してしまうのは不当であることから，譲渡担保権者には清算義務がある（**最判昭和46・3・25**）。この場合，仮に譲渡担保権者から担保物が第三者に譲渡されたとしても，譲渡担保権の設定者は，清算金の支払があるまで留置権を主張して引渡しを拒むことができるとされている（**最判平成9・4・11，最判平成11・2・26**）。したがって，A所有の甲建物について譲渡担保権の設定を受けたBが，当該譲渡担保権の実行として甲建物をCに売却した場合において，CがAに対して甲建物の明渡しを請求したときは，Aは，Bに対する清算金支払請求権を被担保債権として留置権を主張することが「**できる**」とする本肢は，判例の趣旨に照らし正しい。

オ　正しい。民法第295条第2項は，占有が不法行為によって「**始まった場合**」には，留置権を行使することはできないと規定している。これは，留置権が公平の理念に基づいて認められたものであるところ，不法行為によって占有を始めた者にまで留置権を認め

ることは公平に反するからである。そして，判例（**最判昭和46・7・16**）は，この規定を，当初は適法に占有していたが，「**占有権原を失った後**」に費用を支出した場合にも**類推適用して**，本肢のように，建物の賃借人が賃貸借契約を解除された後も建物の占有を続け，その間に有益費を支出した場合には，有益費償還請求権（民196Ⅱ）に基づいて留置権を行使することはできないとしている。したがって，Aを賃借人とし，Bを賃貸人とする甲建物の賃貸借契約がAの賃料不払を理由に解除された後，Aが自らに占有権原のないことを知りながら甲建物をなお占有している間に甲建物について有益費を支出した場合において，BがAに対して甲建物の明渡しを請求したときは，Aは，Bに対する有益費償還請求権を被担保債権として留置権を主張することが「できない」とする本肢は，判例の趣旨に照らし正しい。

　以上により，判例の趣旨に照らし誤っているものは，**イ及びウ**であるから，**3**が正解となる。

第12問　　正解▶　**2**　　難易度★☆☆

> **本問は，先取特権に関する出題である。**

ア　正しい。 ある債権者が「共益の費用」を支出することによって，他の債権者も利益を受けた場合，その費用を被担保債権とする「共益費用の先取特権」を取得する（民306①，307Ⅰ）が，費用の支出が総債権者のうち一部の者にとってのみ有益であった場合は，「**利益を受けた債権者に対してのみ**」，その優先権を主張することができるとされていることに注意する必要がある（**民307Ⅱ**）。利益を受けない債権者に対してまで先取特権を認める必要はないからである。したがって，共益の費用のうち全ての債権者に有益でなかったものについては，共益の費用の先取特権は，「その費用によって利益を受けた債権者に対してのみ」存在するとする本肢は，正しい。

イ　誤り。 「不動産の賃貸の先取特権」（民311①）は，その「不動産の賃料その他の賃貸借関係から生じた賃借人の債務」に関し，「賃借人の動産」について存在するのが原則である（**民312**）が，「**賃借権の譲渡**」又は転貸の場合には，賃貸人の先取特権は，「**譲渡又は転貸以前の譲渡人又は転貸人の債務**」について譲受人又は転借人の**動産**にも及ぶとされている（**民314前段**）。したがって，建物の賃借権の譲渡が適法にされた場合であっても，建物の賃貸人の先取特権は，賃借権の譲受人がその建物に備え付けた動産には「及ばない」とする本肢は，誤っている。これは，賃借権の譲渡又は転貸の場合には，**賃借人（譲渡人又は転貸人）の備え付けた動産がその建物に備え付けられたまま譲受人又は転借人に譲渡されることが多い**ことから，賃貸人がそれらの動産について先取特権を行使することができなくなる（民333）ことを防止する必要があるためである。その

結果，賃借権の譲受人や転借人が自ら新たに備え付けた動産の上にも，自己が負担しない譲渡人や転貸人の債務のために，先取特権が成立することになることに注意しておくこと。

ウ　**正しい**。不動産の工事の先取特権（民325②）は，**工事によって生じた不動産の価格の増加が現存する場合に限り，その「増加額についてのみ」存在する**とされている（**民327Ⅱ**）。したがって，本肢は正しい。

エ　**誤り**。動産保存の先取特権（民311④）について数人の保存者があるときは，「**後の保存者が前の保存者に優先する**」とされている（**民330Ⅰ柱書後段**）。後の保存行為の方が現在の価値の維持により貢献しているからである。したがって，同一の動産について動産の保存の先取特権が互いに競合する場合には，「前の保存者」が後の保存者に優先するとする本肢は，誤っている。

オ　**誤り**。不動産の保存の先取特権（民325①）の効力を保存するためには，「**保存行為が完了した後直ちに**」登記をしなければならないとされている（**民337**）。不動産の工事の先取特権（民338Ⅰ）とは異なり，「保存行為を始める前」にその「費用の予算額」を登記しなければならないとはされていないので，本肢は誤っている。

以上により，正しいものは，ア及びウであるから，**2**が正解となる。

第13問　　正解▶　**4**　　難易度★☆☆

本問は，抵当権の効力に関する出題である。

ア　**誤り**。建物の一体化と旧建物の抵当権の関係につき，判例（**最判平成6・1・25**）は，「互いに主従の関係にない甲乙二棟の建物が，その間の隔壁を除去する等の工事により一棟の丙建物となった場合においても，これをもって，**甲建物あるいは乙建物を目的として設定されていた抵当権が消滅することはなく，当該抵当権は，丙建物のうちの甲建物又は乙建物の価格の割合に応じた持分を目的とするものとして存続する**と解するのが相当である。けだし，このような場合，**甲建物又は乙建物の価値は，丙建物の価値の一部として存続しているものとみるべきである**から，不動産の価値を把握することを内容とする抵当権は，当然に消滅するものではなく，丙建物の価値の一部として存続している甲建物又は乙建物の価値に相当する各建物の価格の割合に応じた持分の上に存続するものと考えるべきだからである」としている。したがって，抵当権が設定されている甲建物と抵当権が設定されていない乙建物がその間の隔壁を除去する工事により一棟の建物となった場合において，甲建物と乙建物が互いに主従の関係になかったときは，甲建物に設定されていた抵当権は「消滅する」とする本肢は，判例の趣旨に照らし誤っている。

イ　**誤り**。建物の敷地の賃借権は，建物に従たる権利であり，建物所有権の移転と運命を共にする（民87Ⅱ類推）。即ち，土地の賃借人の所有する建物に設定された抵当権が実行された場合には，その建物の敷地の賃借権は，「当然に」競落人に移転する。判例（**最判昭和40・5・4**）も，土地賃借人の所有する地上建物に設定された抵当権の実行により，競落人がその建物の所有権を取得した場合には，**従前の建物所有者との間**においては，当該建物が取壊しを前提とする価格で競落された等特段の事情がない限り，当該建物の所有に必要な敷地の賃借権も**競落人に移転する**としている。したがって，土地の賃借人が当該土地上に所有する建物について抵当権を設定した場合には，その抵当権の効力は，当該「土地の賃貸人の承諾がない限り」，当該土地の賃借権に「及ばない」とする本肢は，判例の趣旨に照らし誤っている。なお，賃借権が移転するとはいっても，「土地賃貸人の承諾を得ていなければ」賃借権の無断譲渡であることに変わりはないので，買受人が賃貸人に対して敷地利用権を対抗できるかについては，別の問題となることに注意しておく必要がある（民612，借地借家20）。

ウ　**正しい**。判例（**最判平成14・3・28**）は，抵当権者が物上代位権を行使して賃料債権を差し押さえる前に敷金契約が締結された場合は，賃料債権が敷金の充当を予定した債権であることを抵当権者に主張することができるから，敷金が授受された賃貸借契約に係る賃料債権につき抵当権者が物上代位権を行使してこれを差し押さえた場合において，当該賃貸借契約が終了し，目的物が明け渡されたときは，**賃料債権は，敷金の充当によりその限度で消滅する**としている。したがって，本肢は判例の趣旨に照らし正しい。

エ　**誤り**。判例（**最判平成13・10・25**）は，「民法第372条において準用する同法第304条第1項ただし書の「差押」に**配当要求を含むものと解する**ことはできず，また，民事執行法第154条及び同法第193条第1項は抵当権に基づき物上代位権を行使する債権者が配当要求をすることを予定していないから，抵当権に基づき物上代位権を行使する債権者は，他の債権者による債権差押事件に配当要求をすることによって優先弁済を受けることはできない」と判示している。したがって，抵当権に基づき物上代位権を行使する債権者は，他の債権者による債権差押事件に「配当要求をすることによっても」，優先弁済を受けることが「できる」とする本肢は，判例の趣旨に照らし誤っている。

オ　**正しい**。抵当権に基づく物権的請求権につき，判例（**大判昭和6・10・21**）は，債務者が滅失毀損等，事実上の行為によって抵当権の目的物に対する侵害をしようとする場合においては，その侵害行為が抵当権の被担保債権の弁済期後であるか否か，あるいは抵当権の実行に着手した後であるか否かを問わず，抵当権者は，**物権たる抵当権の効力**として，その妨害の排除を請求することができるとしている。したがって，第三者が抵当不動産を損傷しようとしているときは，抵当権者は，当該第三者に対し，その行為の差止めを求めることができるとする本肢は，判例の趣旨に照らし正しい。

以上により，**判例の趣旨に照らし正しいものは，ウ及びオ**であるから，**4**が正解となる。

第14問　　正解▶　**5**　難易度★☆☆

> **本問は，抵当不動産の第三取得者に関する出題である。**

ア　正しい。抵当不動産について「**所有権又は地上権**」を「**買い受けた**」第三者が，「**抵当権者の請求**」に応じて（応ずる義務はない）その抵当権者にその「**代価**」（被担保債権全額である必要はない）を弁済したときは，「**抵当権**」は，その「**第三者のために**」消滅するとされている（民378）。したがって，本肢は正しい。なお，「地上権者」が代価弁済した場合は地上権が抵当権者に対抗できるようになるだけで，抵当権自体が消滅するわけではないことに注意しておくこと。

イ　正しい。抵当不動産の「第三取得者」（無償を含む）は，第383条の定めるところにより，抵当権消滅請求をすることができるとされている（民379）が，「主たる債務者，保証人」及びこれらの者の「承継人」は，抵当権消滅請求をすることができないことに注意しておく必要がある（民380）。これらの者は自ら抵当債務の全部を支払うべき義務を負う者であるため，自ら負担する義務を履行しないで抵当権消滅請求の手続をとるのは妥当ではないからである。したがって，抵当権の被担保債務の「保証人」が抵当不動産の所有権を取得した場合には，当該保証人は，抵当権消滅請求をすることが「できない」とする本肢は，正しい。

ウ　正しい。抵当権消滅請求に基づく所定の書面（民383）の送付を受けた登記のある債権者が，抵当権の実行としての競売の申立てをする場合には，「**債務者及び抵当不動産の譲渡人**」に対して，書面の送付を受けた後「**2箇月以内**」に（民384①），その旨を「**通知**」しなければならないとされている（民385）。したがって，抵当不動産の第三取得者から抵当権消滅請求の書面の送付を受けた抵当権者が抵当権を実行して競売の申立てをするときは，法定の期間内に，債務者及び当該抵当不動産の譲渡人にその旨を通知しなければならないとする本肢は，正しい。

エ　誤り。「債務者」は，買受けの申出をすることができない（民執68）が，抵当不動産の「**第三取得者**」は，その競売において**買受人となることができる**と規定されている（**民390**）。これは抵当権に後れる第三取得者は競売によりその権利を失うことになるが，自己の権利であっても買受け可能であることを注意的に規定したものである。したがって，抵当不動産の第三取得者は，抵当権の実行としての競売において，買受人となることが「できない」とする本肢は，誤っている。なお，「物上保証人」については規定がないものの，当然買受人となることができると解されている。

オ　誤り。抵当不動産の第三取得者は，抵当不動産について必要費又は有益費を支出したときは，第196条の区別に従い，抵当不動産の代価から，「他の債権者より先にその償還を受けることができる」とされている（民391）。したがって，「受けることができな

い」とする本肢は，誤っている。なお，競売代金が抵当権者に交付され第三取得者が優
先償還を受けられなかった場合につき，判例（最判昭和48・7・12）は，抵当不動産の
第三取得者が，抵当不動産につき必要費又は有益費を支出して民法第391条にもとづく
優先償還請求権を有しているにもかかわらず，抵当不動産の競売代金が抵当権者に交付
されたため，第三取得者が優先償還を受けられなかったときは，第三取得者はその抵当
権者に対し**不当利得返還請求権を有する**としている。その理由につき，当該判例は「抵
当不動産の第三取得者が抵当不動産につき支出した必要費又は有益費の優先償還を受け
うるのは，その必要費又は有益費が不動産の価値の維持・増加のために支出された一種
の共益費であることによるものであって，当該償還請求権は当然に最先順位の抵当権に
も優先するものであり，したがって，抵当権者は，第三取得者に対する関係においては，
その第三取得者が受けるべき優先償還金に相当する金員の交付を受けてこれを保有する
実質的理由を有しないというべきであり，また，誤って抵当権者に当該金員の交付がな
されたとしても，その交付行為は抵当権者がその交付を受けうる実体上の権利を確定す
るものではないからである。もっとも，抵当権者にその交付がなされた場合，一見抵当
権者の債権が消滅し債務者が債務消滅の利得を得たかのような外形を呈するが，そうで
あるからといって，交付を受けた抵当権者に利得がないとはいえないから，これを理由
に抵当権者の不当利得を否定することはできない」と判示している。

　以上により，判例の趣旨に照らし誤っているものは，**エ及びオ**であるから，**5** が正解
となる。

第15問　　**正解▶　3**　　**難易度★☆☆**

> **本問は，元本確定前の根抵当権に関する出題である。**

ア　誤り。「担保すべき元本の確定すべき期日の定めがない場合」（民398の19Ⅲ）は，
　「根抵当権者」は，「いつでも」，担保すべき元本の確定を請求することができるとされ
　ている（民398の19Ⅱ前段）。したがって，根抵当権者は，「担保すべき元本の確定す
　べき期日の定めがある場合」であっても，当該期日の前に担保すべき元本の確定を「請
　求することができる」とする本肢は，誤っている。

イ　正しい。根抵当権の担保すべき元本については，その確定すべき期日を定めることが
　できる（民398の6Ⅰ）が，その期日は，これを「**定めた日**」から「**5年以内**」でなけ
　ればならないとされている（**民398の6Ⅲ**）。したがって，本肢は正しい。

ウ　正しい。抵当権の順位の譲渡又は放棄を受けた根抵当権者が，その根抵当権の譲渡又
　は一部譲渡をしたときは，譲受人は，その順位の譲渡又は放棄の利益を**受ける**とされて
　いる（**民398の15**）。したがって，本肢は正しい。

エ　**誤り**。根抵当権の共有者は，**他の共有者の同意を得て**，第398条の12第1項の規定により，元本確定前に，設定者の承諾を得て，「**その権利**」を譲り渡すことができるとされている（**民398の14Ⅱ**）。したがって，根抵当権の共有者は，「他の共有者の同意を得ることなく」，その有する「持分」を譲り渡すことができるとする本肢は，誤っている。

オ　**誤り**。「元本の確定前」においては，根抵当権者は，「根抵当権設定者の承諾」を得て，その「根抵当権」を譲り渡すこと（根抵当権の全部譲渡，民398の12Ⅰ）のみならず，その根抵当権を「2個」の根抵当権に分割して，その「一方」を譲り渡すこともできるとされている（根抵当権の分割譲渡，**民398の12Ⅱ前段**）。したがって，根抵当権者は，その根抵当権を2個の根抵当権に分割して，その一方を譲り渡すことは「できない」とする本肢は，誤っている。

以上により，正しいものは，**イ及びウ**であるから，**3**が正解となる。

第16問　　正解▶　**1**　　難易度★★☆

> **本問は，詐害行為取消権の行使に関する出題である。**

ア　**誤り**。債務者がした「**既存の債務**」についての担保の供与又は債務の消滅に関する行為については，その行為が，債務者が支払不能の時に行われたものであり，債務者と受益者とが通謀して他の債権者を害する意図をもって行われたものである場合には，債権者は，詐害行為取消請求をすることができるとされている（**民424の3Ⅰ**）が，本肢は「新たに借入れを行う」と同時に同額の担保を供与した場合であるので，当該規定は妥当しない。したがって，この場合も詐害行為取消請求をすることが「できる」とする本肢は，誤っている。

イ　**正しい**。判例（**大判大正15・11・13，大判昭和12・2・18**）は，詐害行為は，その行為の当時に債権者を詐害するだけでなく，**債権者が取消権を行使するときにも詐害していることを要する**ので，詐害行為後に債務者の資力が回復すると詐害行為取消権を行使することはできないとしている。なぜなら，詐害行為取消権は債務者の責任財産を確保し，もって債権者の強制執行の準備に資するものであるところ，債務者の資力が回復し債務者の責任財産の確保を図る必要がなくなった以上，詐害行為取消権の行使を認める必要性がないからである。したがって，BがCに対する債務を弁済したが，その後，Bが支払不能の状態から回復した場合には，Aは，BのCに対する当該弁済について詐害行為取消請求をすることができないとする本肢は，判例の趣旨に照らし正しい。

ウ　**誤り**。令和2年4月1日施行の改正（以下，単に「改正」という。）により，「債権者

は，受益者に対する詐害行為取消請求において，**債務者がした行為の取消しとともに，**その行為によって受益者に移転した**財産の返還を請求**することができる。受益者がその**財産の返還をすることが困難であるときは，債権者は，その価額の償還を請求することができる。**」とする規定（**民424の6 I**）が新設された。しかし，本肢の場合は，現物返還が困難というわけではないので，「Bが支払不能の時に当該代物弁済をしたときに限り」，債務額を超える「2000万円の部分」について詐害行為取消権を行使して「価額の償還」を請求することができるとする本肢は，誤っている。

エ　**正しい**。従前，判例（**最判昭和49・12・12**）は，債権者を害することについて受益者は善意だが転得者は悪意であった場合について，転得者に対する詐害行為取消権の行使を認めていたが，改正により，「**受益者に対して詐害行為取消請求をすることができる場合**」であることが転得者に対する詐害行為取消権の行使要件の一つとされた（**民424の5柱書**）ため，**一旦善意者を経由すれば，その後の転得者が悪意でも，転得者に対して詐害行為取消請求をすることはできない**とされたことに注意しておく必要がある。これは，取引の安全保護を図る観点から，破産法上の否認権に準ずる規律内容としたものである。したがって，Bが，Aを害することを知って唯一の資産である甲土地を市場価格よりも著しく低額でCに売却し，その後，DがCから甲土地を買い受けた場合には，Aは，「C及びD」が，甲土地をそれぞれ取得した当時，Bの行為が債権者を害することを知っていたときに限り，Dの当該買受け行為について詐害行為取消請求をすることができる（**民424の5 ①**）とする本肢は，正しい。

オ　**正しい**。債権者への支払又は引渡請求の可否につき，判例（最判昭和39・1・23）は，詐害行為取消権は総債権者の共同担保の保全を目的としたものである（旧民425）が，詐害行為の目的物が動産又は金銭である場合，債務者がこれらの受領を拒むと取消しの目的が実現できなくなることから，取消権者は当該動産又は金銭を直接自己に引き渡すべきことを請求することができるとしていた。そこで，改正により，「債権者は，第424条の6第1項前段又は第2項前段の規定により受益者又は転得者に対して財産の返還を請求する場合において，その**返還の請求が金銭の支払又は動産の引渡し**を求めるものであるときは，**受益者に対してその支払又は引渡しを，転得者に対してその引渡しを，自己に対してすることを求めることができる。**」とする上記の判例を明文化する規定（**民424の9 I前段**）が新設された。そこで，BがCにした1000万円の金銭債務に対する弁済について，Aが詐害行為取消権を行使し，Cから直接支払を受けることができるが，この場合，Aは，Bに対して有する債権と，支払を受けた金銭についてのBのAに対する返還請求権とを対当額で相殺することができるかが，問題となる。この点，改正法の審議の過程において，相殺を禁止する規定を設けることが検討されたが，実務上相当の手間をかけて行われる詐害行為取消権を行使するインセンティブが失われるとの批判が強いとの理由で見送られた。したがって，この場合，Aは，Bに対して有す

る債権と，支払を受けた金銭についてのＢのＡに対する返還請求権とを対当額で相殺することが「できる」とする本肢は，正しい。

以上により，誤っているものは，**ア及びウ**であるから，**1**が正解となる。

第17問 　　正解▶ **4** 　　難易度★★☆

> **本問は，保証に関する出題である。**

ア　**正しい**。民法は，「保証契約は，**書面でしなければ，その効力を生じない。**」（民446Ⅱ），「保証契約がその内容を記録した**電磁的記録**によってされたときは，その保証契約は，**書面によってされたものとみなして，**前項の規定を適用する。」（民446Ⅲ）と規定している。したがって，保証契約は，その内容を記録した電磁的記録によっても有効に締結することができるとする本肢は，正しい。保証債務は，主たる債務者が債務を履行しないときに保証人が主たる債務者に代わって債務を履行するという内容の債務であるから（民446Ⅰ），安易な保証契約の締結を防止するための措置として要式行為とされているのである。

イ　**正しい**。令和2年4月1日施行の改正（以下，単に「改正」という。）で，一定の範囲に属する不特定の債務を主たる債務とする保証契約（根保証契約）であって保証人が法人でないものを「**個人根保証契約**」と定義し，この「個人根保証契約」の保証人は，その主たる債務の範囲に金銭の貸渡し又は手形の割引を受けることによって負担する債務が含まれるもの（これを「個人貸金等根保証契約」という。民465の3Ⅰ）でなくても，主たる債務の元本，主たる債務に関する利息，違約金，損害賠償その他その債務に従たる全てのもの及びその保証債務について約定された違約金又は損害賠償の額について，その全部に係る「極度額」を限度として，その履行をする責任を負う（**民465の2Ⅰ**）ので，当該保証契約は，この**極度額**を「書面又は電磁的記録」で定めなければ（民465の2Ⅲ→446Ⅱ・Ⅲ），**その効力を生じない**とされた（**民465の2Ⅱ**）。したがって，本肢は正しい。

ウ　**誤り**。「個人根保証契約」は，人的信頼関係を基礎とするため，「**主たる債務者が死亡**」した場合は，主たる債務の**元本は確定する**とされている（民465の4Ⅰ③）が，一定の範囲に属する不特定の債務を主たる債務とする保証契約であっても，**保証人が「法人」であるもの**は，「**個人根保証契約**」ではないので（民465の2Ⅰ），一定の範囲に属する不特定の債務を主たる債務とする保証契約であって「保証人が法人であるもの」における主たる債務の元本は，主たる債務者が死亡したときは，「確定する」とする本肢は，誤っている。

エ　**誤り**。改正により，事業に係る債務についての保証契約の特則が新設され，事業のた

めに負担した「**貸金等債務**」（金銭の貸渡し又は手形の割引を受けることによって負担する債務，民465の3Ⅰかっこ書）を主たる債務とする保証契約又は主たる債務の範囲に事業のために負担する貸金等債務が含まれる根保証契約は，その契約の締結に先立ち，その締結の日前「**1箇月以内**」に作成された「**公正証書**」で保証人になろうとする者（「**法人**」を除く，民465の6Ⅲ）が保証債務を履行する意思を表示していなければ，その**効力を生じない**と規定された（**民465の6Ⅰ**）。しかし，本肢の保証契約は，事業の用に供する建物の賃貸借契約に基づく「**賃料債務**」を主たる債務とする保証契約であるから，同条の適用はないので，契約の締結に先立ち，公正証書で保証人になろうとする者が保証債務を履行する意思を表示していなければ，その「**効力を生じない**」とする本肢は，誤っている。

オ　**正しい**。改正により，契約締結時の情報の提供義務として，「**主たる債務者は，事業のために負担する債務を主たる債務とする保証**又は主たる債務の範囲に事業のために負担する債務が含まれる根保証**の委託をするとき**は，委託を受ける者に対し，①**財産及び収支の状況**，②主たる債務以外に負担している債務の有無並びにその額及び履行状況，③主たる債務の担保として他に提供し，又は提供しようとするものがあるときは，その旨及びその内容に関する**情報を提供しなければならない**。」との規定（**民465の10Ⅰ**）が追加された。しかし，この規定は，**保証をする者が「法人である場合」には適用しない**とされている（**民465の10Ⅲ**）。したがって，主たる債務者は，事業のために負担する債務を主たる債務とする保証を「法人でない者」に委託する場合には，その者に対し，財産及び収支の状況を含む民法所定の事項に関する情報を「提供しなければならない」とする本肢は，正しい。

以上により，誤っているものは，ウ及びエであるから，4が正解となる。

第18問　　**正解▶　5**　　**難易度★☆☆**

本問は，贈与に関する出題である。

ア　**誤り**。旧法は「**自己**」の財産の贈与と規定していた（旧民549）が，判例（最判昭和44・1・31）は，他人物贈与も（債権契約として）有効であるとしていた。そこで，令和2年4月1日施行の改正（以下，単に「改正」という。）で，この判例法理の支障にならないように，民法第549条は，「贈与は，当事者の一方が**ある財産**を無償で相手方に与える意思を表示し，相手方が受諾をすることによって，その効力を生ずる。」と改正された（**民549**）。したがって，他人物を目的とする贈与は，「贈与者がその物の所有権を取得した時」からその効力を生ずるとする本肢は，誤っている。

イ　**誤り**。「**書面によらない**」贈与であるとしても，「**履行の終わった部分**」については解

除することができないとされている（民550ただし書）。したがって，受贈者は，書面によらない贈与であれば，「履行の終わった部分」についても解除することが「できる」とする本肢は，誤っている。

ウ　**正しい**。「定期贈与」（定期の給付を目的とする贈与）は，「贈与者又は受贈者」の「**死亡**」によって，その効力を失うと規定されている（**民552**）。定期贈与は，当事者間の人間関係に基づくものであり，相続には適さないからである。したがって，AがBに対して一定の財産を定期的に贈与する旨を約した場合において，「Aが死亡」したときは，当該贈与は，その「効力を失う」とする本肢は，正しい。

エ　**誤り**。「遺贈」は遺言によってなされ，遺言は未成年者でも**満15歳に達していれば**単独で完全に有効にすることができるとされている（**民961，962**）が，「死因贈与」（民554）は財産上の法律行為であり，贈与者として未成年者がこれをなすには**法定代理人の同意を得ることが要求されている**（民5Ⅰ本文）。したがって，15歳に達した者が「死因贈与」をするには，その法定代理人の同意を得ることを「要しない」とする本肢は，誤っている。

オ　**正しい**。負担付贈与については，贈与者は，その「**負担の限度**」において，売主と同じく担保の責任を負うとされている（**民551Ⅱ**）。したがって，甲建物に不具合が存在していたために「3000万円」の価値しかないことが判明したとしても，Bの負担は「2000万円」（200万円×10年間）であり，負担額が贈与額を超えてはいないので，Bは，Aに対し，Cに支払うべき金銭の減額を請求することは「できない」とする本肢は，正しい。

以上により，判例の趣旨に照らし正しいものは，**ウ及びオ**であるから，**5**が正解となる。

第19問　　正解▶　2　　難易度★☆☆

> **本問は，民法上の組合に関する出題である。**

ア　**誤り**。組合の業務の決定は，組合員の過半数で決するのが原則である（民670Ⅰ）が，組合契約で一人又は数人の組合員に委任することができ（民670Ⅱ，業務執行者），数人の組合員に業務の執行を委任した場合は，業務執行の決定は「**業務執行者の過半数**」でなすとされている（**民670Ⅲ後段**）。したがって，組合の業務の決定は，業務執行者があるときであっても，「組合員」の過半数をもってするとする本肢は，誤っている。

イ　**正しい**。令和2年4月1日施行の改正（以下，単に「改正」という。）により，他の組合員の債務不履行があった場合につき，「組合員は，**他の組合員が組合契約に基づく債務の履行をしないことを理由として，組合契約を解除することができない。**」との規定（**民667の2Ⅱ**）が追加された。したがって，本肢は正しい。組合契約には，その終

了に関する特別規定として，脱退（民678）や除名（民680），解散（民682）等の規定が整備されており，これに加えて，債務不履行を理由とする契約の解除に関する規定を適用させる実益に乏しいからである。

ウ　**正しい**。改正により，「**組合の債権者は，組合財産についてその権利を行使することができる。**」との組合の債権者の権利につき原則を明示する規定（**民675Ⅰ**）を追加するとともに，「**組合員の債権者は，組合財産についてその権利を行使することができない。**」との判例（大判昭和13・2・12）を明文化する規定（**民677**）が新設された。したがって，本肢は正しい。

エ　**正しい**。改正により，脱退した組合員は，その**脱退前に生じた組合の債務**について，「**従前の責任の範囲内**」でこれを弁済する責任を負うとの規定（**民680の2Ⅰ前段**）が追加された。したがって，本肢は正しい

オ　**誤り**。改正により，組合の成立後に加入した組合員は，その**加入前に生じた組合の債務**については，これを**弁済する責任を負わない**との規定（**民677の2Ⅱ**）が追加された。したがって，弁済する責任を「負う」とする本肢は，誤っている。なお，持分会社の成立後に加入した社員は，その加入前に生じた持分会社の債務についても，これを「弁済する責任を負う」とされている（会605）こととの違いには注意しておくこと。

以上により，誤っているものは，ア及びオであるから，2が正解となる。

第20問　正解▶ 5　難易度★☆☆

本問は，補助に関する出題である。

ア　**正しい**。精神上の障害により事理を弁識する能力が「不十分」である者については，家庭裁判所は，本人，配偶者，4親等内の親族，後見人，後見監督人，保佐人，保佐監督人又は検察官の請求により，補助開始の審判をすることができる（**民15Ⅰ本文**）が，補助の場合は，本人には一定程度の判断能力があるため，自己決定権の尊重の趣旨から，「**本人以外の者の請求**」により補助開始の審判をするには，「**本人の同意**」がなければならないとされている（**民15Ⅱ**）。したがって，本肢は正しい。

イ　**正しい**。補助開始の審判（民15Ⅰ）をする場合には，同時に，同意権付与の審判（民17Ⅰ）又は代理権付与の審判（民876の9Ⅰ）と「**ともに**」しなければならないとされている（**民15Ⅲ**）。補助開始の審判の場合は，後見や保佐の場合と異なり，当該審判のみを行うことはできない。補助開始の審判自体に同意権や代理権付与の効果が伴うわけではないからである。したがって，補助開始の審判は，被補助人が特定の法律行為をするには補助人の同意を得なければならない旨の審判又は被補助人のために特定の法律行為について補助人に代理権を付与する旨の審判とともにしなければならないとする本肢

は，正しい。

ウ　**誤り**。「後見人」は，遅滞なく被後見人の財産の調査に着手し，1箇月以内に，その調査を終わり，かつ，その目録を作成しなければならないとされている（**民853Ⅰ本文**）が，「補助人」にはかかる規定は置かれていない。したがって，本肢は誤っている。

エ　**正しい**。補助人の配偶者，直系血族及び「**兄弟姉妹**」は，補助監督人となることができないとされている（**民876の8Ⅱ→850**）。したがって，本肢は正しい。

オ　**誤り**。補助人の報酬については，**家庭裁判所**は，補助人及び被補助人の資力その他の事情によって，被補助人の財産の中から，相当な報酬を補助人に与えることができるとされている（**民876の10Ⅰ→862**）。しかし，補助監督人と補助人との間で補助人の報酬の額を合意した場合には，家庭裁判所は，当該合意した額の報酬を補助人に付与しなければならないなどという規定は置かれていないので，本肢は誤っている。

以上により，誤っているものは，**ウ及びオ**であるから，**5**が正解となる。

第21問　　正解▶　**1**　　難易度★☆☆

> **本問は，扶養に関する出題である。**

ア　**正しい**。扶養の程度又は方法について，当事者間に「**協議**」が調わないとき，又は協議をすることができないときは，扶養権利者の需要，扶養義務者の資力その他一切の事情を考慮して，「**家庭裁判所**」が，これを定めるとされていることから（**民879**），判例（**最判昭和42・2・17**）は，扶養権利者を扶養してきた扶養義務者が，他の扶養義務者に対し，「自己の負担した過去の扶養料を求償する場合」でも，各自の分担額は，協議の調わない限り，「**家庭裁判所が審判で定めるべき**」であって，通常裁判所が判決手続で判定することは許されないとしている。したがって，本肢は判例の趣旨に照らし正しい。

イ　**正しい**。「扶養の程度若しくは方法」について協議又は審判があった後事情に変更を生じたときは，**家庭裁判所**は，その協議又は審判の**変更又は取消し**をすることができるとされている（**民880**）。したがって，本肢は正しい。

ウ　**誤り**。「家庭裁判所」は，「特別の事情」があるときは，直系血族及び兄弟姉妹以外の「3親等内の親族間」においても扶養の義務を「負わせることができる」とされている（**民877Ⅱ**）。しかし，扶養を受けるべき者の父母の兄弟姉妹の子（いとこ）は，「4親等の傍系血族」であるので，扶養の義務を負わせることはできないので，「できる」とする本肢は，誤っている。

エ　**誤り**。「扶養義務者間」の養育費の支払に関する合意は，「当該合意の当事者ではない扶養権利者」に対しては拘束力を有せず，扶養料の決定に当たっての有力な斟酌事由に

なるにとどまるという審判例（**仙台高決昭和56・8・24**）がある。この審判例によれば，ある扶養権利者に対して扶養義務者が数人ある場合において，「扶養義務者の間」で扶養をすべき者の順序について協議が調ったときは，当該扶養権利者は，その「協議により定められた順序に従って」扶養の請求をしなければならないとする本肢は，判例の趣旨に照らし誤っている。

オ **誤り**。扶養を受ける権利は，**処分することができない**とされている（**民881**）。扶養請求権は，一定の親族的身分と結合した一身専属権であり，要扶養者本人の生存の保障を目的としており，もしこれが実現されないときは本人の生存を脅かし，又は社会の他の者の負担となることから公益的性格をもっているため，その処分は禁止されているのである。もっとも，「**協議・審判によって確定し既に弁済期の到来した請求権**」や要扶養者を扶養した者から義務者への求償の権利は，**処分することができる**と解されている。以上により，扶養権利者は，扶養義務者との間で「扶養料の具体的な額について協議をする前」に扶養を受ける権利を放棄することが「できる」とする本肢は，誤っている。

以上により，判例の趣旨に照らし正しいものは，ア及びイであるから，1が正解となる。

第22問　　正解▶　**4**　　難易度★☆☆

> **本問は，遺言に関する出題である。**

ア **誤り**。欠格者が同席した公正証書遺言の有効性につき，判例（**最判平成13・3・27**）は，遺言公正証書の作成にあたり，民法所定の証人が立ち会っている以上，**遺言の証人となることのできない者が同席していたとしても，この者によって，遺言の内容が左右されたり，遺言者が自己の真意に基づいて遺言することを妨げられたりするなどの特段の事情がない限り，遺言公正証書の作成手続を違法ということはできず，同遺言は無効ではない**としている。したがって，証人となることができない者が同席して作成された公正証書遺言は，民法所定の証人が立ち会っている場合であっても，「無効である」とする本肢は，判例の趣旨に照らし誤っている。

イ **誤り**。指印の有効性につき，判例（**最判平成元・2・16**）は，「自筆証書によって遺言をするには，遺言者が遺言の全文，日付及び氏名を自書した上，『**押印**』することを要する（**民968Ⅰ**）**が，そこにいう押印としては，遺言者が印章に代えて拇指その他の指頭に墨，朱肉等をつけて押捺すること（以下『指印』という）をもって足りるもの**と解するのが相当である。けだし，同条項が自筆証書遺言の方式として自書のほか押印を要するとした趣旨は，**遺言の全文等の自書とあいまって遺言者の同一性及び真意を確保する**とともに，重要な文書については作成者が署名した上その名下に押印することによって文書の作成を完結させるという我が国の慣行ないし法意識に照らして**文書の完成**

— 155 —

を担保することにあると解されるところ，その押印について指印をもって足りると解したとしても，遺言者が遺言の全文，日付，氏名を自書する自筆証書遺言において遺言者の真意の確保に欠けるとはいえないし，いわゆる実印による押印が要件とされていない文書については，通常，文書作成者の指印があれば印章による押印があるのと同等の意義を認めている我が国の慣行ないし法意識に照らすと，文書の完成を担保する機能においても欠けるところがないばかりでなく，必要以上に遺言の方式を厳格に解するときは，かえって遺言者の真意の実現を阻害するおそれがあるものというべきだからである。**もっとも，指印については，通常，押印者の死亡後は対照すべき印影がないために，遺言者本人の指印であるか否かが争われても，これを印影の対照によって確認することはできないが，**もともと自筆証書遺言に使用すべき印章には何らの制限もないのであるから，印章による押印であっても，印影の対照のみによっては遺言者本人の押印であることを確認しえない場合があるのであり，印影の対照以外の方法によって本人の押印であることを立証しうる場合は少なくないと考えられるから，対照すべき印影のないことは前記解釈の妨げとなるものではない。」と判示している。したがって，自筆証書によって遺言をする場合にしなければならない押印は，指印によることは「できない」とする本肢は，判例の趣旨に照らし誤っている。

ウ **正しい。**自筆証書によって遺言をするには，遺言者が，その「**全文**」，「**日付**」及び「**氏名**」を「**自書**」し，これに「**印**」を押さなければならない（**民968Ⅰ**）が，財産が多数ある場合などにおいても全文を自書しなければならないとするのは，遺言者の負担であるとの指摘がなされていたので，平成31年1月13日施行の改正により，「前項の規定にかかわらず，自筆証書にこれと一体のものとして**相続財産**（第997条第1項に規定する場合における同項に規定する権利を含む。）の全部又は一部の目録を添付する場合には，その目録については，自書することを要しない。」との規定（**民968Ⅱ前段**）が追加された。なお，当該相続財産目録への署名・押印についても，「この場合において，遺言者は，その**目録の毎葉**（自書によらない記載がその**両面にある場合**にあっては，その**両面**）に署名し，印を押さなければならない。」との規定（**民968Ⅱ後段**）も追加された。したがって，遺言者が自筆証書遺言に添付した「片面にのみ記載」のある財産目録の「毎葉」に署名し，押印していれば，当該目録について自書することを要しないとする本肢は，正しい。

エ **正しい。**「成年被後見人」も，事理を弁識する能力を一時回復したときには，遺言をすることができるが，この場合には，**医師2人以上の立会い**が必要とされている（**民973Ⅰ**）。これは，遺言に立ち会った医師が一定の方式に従って遺言者が遺言をする時において（**民963**）事理を弁識する能力を有していたことを証明するためである。この規定は，**自筆証書遺言**に限らず，公正証書遺言や秘密証書遺言にも適用され，また，特別方式による遺言にも準用されている（**民982**）。したがって，成年被後見人は，事理

を弁識する能力を一時回復した時に，「医師二人の立会い」があれば，「自筆証書」によって遺言をすることができるとする本肢は，正しい。

オ　**誤り**。自筆証書遺言における日付の誤記と遺言の効力につき，判例（**最判昭和52・11・21**）は，自筆遺言証書に記載された日付が真実の作成日付と相違しても，その**誤記であること及び真実の作成の日が遺言証書の記載その他から容易に判明する場合**には，右日付の誤りは遺言を**無効ならしめるものではない**と判示している。したがって，自筆証書遺言に記載された日付が真実の作成日付と相違する場合には，それが誤記であること及び真実の作成日付が証書の記載から容易に判明するときであっても，当該遺言は，「無効」であるとする本肢は，判例の趣旨に照らし誤っている。

　　以上により，判例の趣旨に照らし正しいものは，**ウ及びエ**であるから，**4**が正解となる。

第23問　　正解▶　**2**　　難易度★☆☆

ア　**誤り**。イ　**正しい**。令和元年7月1日施行の改正（以下，単に「改正」という。）前は，被相続人に対して無償で療養看護その他の労務の提供をしたことにより被相続人の財産の維持又は増加について特別の寄与をしたとしても，「**共同相続人**」でなければ相続財産を取得することはできなかった（民904の2Ⅰ）が，これでは，被相続人の介護につくした長男の妻等に酷な結果となることから，改正により，「被相続人に対して**無償で療養看護その他の労務の提供をしたことにより**被相続人の財産の維持又は増加について特別の寄与をした**被相続人の親族**（**相続人**，相続の放棄をした者及び第891条の規定＜相続人の欠格事由＞に該当し又は廃除によってその相続権を失った者**を除く**。以下，この条において「**特別寄与者**」という。）は，相続の開始後，相続人に対し，**特別寄与者の寄与に応じた額の金銭**（以下，「**特別寄与料**」という。）の支払を請求することができる。」との規定（**民1050Ⅰ**）が新設された。したがって，肢イの「D」は，B及びCに対し，特別寄与料の支払を請求することができるので，肢イは正しいが，肢アのBは「相続人」であるから（民890），Cに対し，特別寄与料の支払を請求することはできないので，「できる」とする肢アは，誤っている。

ウ　**誤り**。本肢のAの弟であるCは，Aに子Bがいることから，Aの相続人ではないが，Aの財産の維持又は増加に特別の寄与をしたとしても，その方法は「定期的にA名義の預金口座に現金を振込送金した」というのであり，「**療養看護その他の労務の提供をした**」ことによるものではないので，特別寄与料の支払を請求することはできないので，「できる」とする本肢は，誤っている。

エ　**正しい**。特別寄与料の支払について当事者間の協議が調わない場合につき，改正によ

り，「前項の規定による特別寄与料の支払について，当事者間に**協議が調わないとき**，又は**協議をすることができないときは，**特別寄与者は，**家庭裁判所に対して協議に代わる処分を請求**することができる＜民904の2Ⅱと同旨＞。ただし，特別寄与者が**相続の開始及び相続人を知った時から6箇月を経過したとき，**又は**相続開始の時から1年を経過したときは，この限りでない。**」との規定（**民1050Ⅱ**）が置かれた。したがって，特別寄与者と相続人との間で特別寄与料の支払について協議が調わない場合には，特別寄与者は，「法定の期間内」に，「家庭裁判所」に対して協議に代わる処分を請求することができるとする本肢は，正しい。

オ　**正しい**。特別寄与料の額についても，改正により，寄与分（民904の2Ⅲ）と同様の「特別寄与料の額は，**被相続人が相続開始の時において有した財産の価額から遺贈の価額を控除した残額を超えることができない。**」との規定（**民1050Ⅳ**）が置かれた。したがって，本肢は正しい。

以上により，誤っているものは，**ア及びウ**であるから，**2** が正解となる。

刑 法

第24問　　正解▶　**3**　　難易度★☆☆

> 本問は，違法性阻却事由に関する出題である。

ア　誤り。 債権の取立てに当たり，数人と共謀の上，「俺たちの顔を立てろ」などと申し向けて，要求に応じないと身体に危害を加えられかねないと畏怖させて，金額を交付させたという事案について，判例（**最判昭和30・10・14**）は，「他人に対して権利を有する者が，その権利を実行することは，その**権利の範囲内**であり，『**かつ**』その**方法が社会通念上一般に忍容すべきものと認められる程度を越えない限り，何ら違法の問題を生じない**が，その範囲程度を逸脱するときは違法となり，恐喝罪が成立することがある。」と判示している。したがって，他人に対し権利を有する者がその権利を実行する行為は，その権利の範囲内であり，「又は」その方法が社会通念上一般に許容されるものと認められる程度を超えない場合には，違法の問題を生ずることはないとする本肢は，「かつ」ではなく「又は」としている点が，判例の趣旨に照らし誤っている。

イ　正しい。 刑法第36条第1項の「急迫性」の要件について，判例（**最決昭和52・7・21**）は，「刑法第36条が正当防衛について侵害の急迫性を要件としているのは，予期された侵害を避けるべき義務を課する趣旨ではないから，当然又はほとんど確実に侵害が予期されたとしても，そのことから直ちに侵害の急迫性が失われるわけではないと解するのが相当であるが，同条が侵害の急迫性を要件としている趣旨から考えて，**単に予期された侵害を避けなかったというにとどまらず，その機会を利用し積極的に相手に対して加害行為をする意思で侵害に臨んだときは，もはや侵害の急迫性の要件を充たさない**ものと解するのが相当である」としている。したがって，行為者が，単に予期された侵害を避けなかったというにとどまらず，その機会を利用し積極的に相手に対して加害行為をする意思で侵害に臨んだときは，侵害の急迫性の要件を充たさず，正当防衛は成立し得ないとする本肢は，判例の趣旨に照らし正しい。

ウ　正しい。 判例は，一貫して**防衛の意思が必要である**との立場をとっている。そして，その内容は，**急迫不正の侵害を認識しつつそれに対応しようとする単純な心理状況**をいうと理解されている。しかし，判例（**最判昭和50・11・28**）は，「急迫不正の侵害に対し自己又は他人の権利を防衛するためにした行為と認められる限り，その行為は，**同時に侵害者に対する攻撃的な意思に出たものであっても，正当防衛に当たる**。即ち，防衛に名を借りて侵害者に対し積極的に攻撃を加える行為は，防衛の意思を欠く結果，正当防衛を認めることができないが，**防衛の意思と攻撃の意思が併存している場合の行為は，防衛の意思を欠くものではないから，正当防衛を認めることができる**。」と判示してい

る。したがって，急迫不正の侵害に対し自己又は他人の権利を防衛するためにした行為と認められる限り，その行為は，同時に侵害者に対する攻撃的な意思に出たものであっても，正当防衛が成立し得るとする本肢は，判例の趣旨に照らし正しい。

エ　**誤り**。傷害罪（刑204）の保護法益は，個人の身体の安全であるから，かかる法益は処分可能なものであるという前提に立つと，被害者の承諾がある以上違法性は阻却され，傷害罪は成立しないとも思える。もっとも，判例（**最決昭和55・11・13**）は，「被害者が身体傷害を承諾した場合に傷害罪が成立するか否かは，**単に承諾が存在するという事実だけでなく，承諾を『得た』動機，目的**，身体傷害の手段，方法，損傷の部位，程度など諸般の事情を照らし合せて決すべきである。過失による自動車衝突事故であるかのように装い保険金を騙取する目的をもって，被害者の承諾を得てその者に故意に自己の運転する自動車を衝突させて傷害を負わせた場合には，**その承諾は，保険金を騙取するという違法な目的に利用するために得られた違法なものであって，これによって当該傷害行為の違法性は阻却されない**」としている。したがって，過失による事故であるかのように装い保険金を騙し取る目的をもって，被害者の承諾を得てその者に故意に自己の運転する自動車を衝突させて傷害を負わせた場合には，被害者の承諾が保険金を騙し取るという目的に利用するために得られたものであっても，その承諾が真意に基づく以上，当該傷害行為の違法性は「阻却される」とする本肢は，判例の趣旨に照らし誤っている。

オ　**誤り**。互いに暴行し合う「喧嘩闘争」の場合における正当防衛の成立の可否について，判例（**最判昭和32・1・22**）は，**喧嘩闘争の場合であっても正当防衛が成立する場合があることを認めており**，例えば，素手から刀の攻防へと**攻撃の質が急激に変化したような場合**には正当防衛の成立する余地があるとしている。したがって，いわゆる喧嘩闘争については，闘争のある瞬間においては闘争者の一方がもっぱら防御に終始し，正当防衛を行う観を呈することがあっても，闘争の全般からみて防衛行為とみることはできず，正当防衛は「成立し得ない」と言い切っている本肢は，判例の趣旨に照らし誤っている。

以上により，判例の趣旨に照らし正しいものは，イ及びウであるから，3が正解となる。

第25問　　正解▶ 4　　難易度★☆☆

本問は，傷害の罪に関する出題である。

ア　**正しい**。暴行罪（刑208）の実行行為は，人に対して暴行することである。本罪にいう暴行は「狭義」のものであり，人の身体に対する直接の有形力の行使をいう。この有形力が人の身体に接触しなかった場合にも，なお暴行といい得るかについては争いがあるが，判例（**最決昭和39・1・28**）は，傷害の危険性がある限り，身体的接触を不要と解しており，**四畳半の部屋で被告人が被害者を脅かすため同人の目前で日本刀の抜き身**

を数回振り回した行為は，被害者に対する暴行に該当するとしている。したがって，狭い四畳半の室内でBを脅かすために日本刀の抜き身を数回振り回したAの行為は暴行罪における暴行に該当するとする本肢は，判例の趣旨に照らし正しい。

イ　誤り。Aによる暴行後，Bが死亡に至るまでの間に，何者かによる故意行為が介在していることから，Aによる暴行とBの死亡との間の因果関係が否定されるかが問題となる。本肢類似の事案において，判例（**最決平成2・11・20**）は，「犯人の暴行により被害者の死因となった傷害が形成された場合には，**仮にその後第三者により加えられた暴行によって死期が早められたとしても，犯人の暴行と被害者の死亡との間の因果関係を肯定することができる**」として，最初に暴行を行った者と被害者の死亡との間の因果関係を肯定し，傷害致死罪（刑205）の成立を認めている。したがって，Aが，Bの頭部を多数回殴打する暴行を加え，意識消失状態に陥らせたBを放置したまま立ち去ったところ，Bは死亡した場合，Aの暴行によりBの死因となった傷害が形成されたとしても，Aが暴行を加えてからBが死亡するまでの間に，何者かがBの頭部を殴打する暴行を加え，当該暴行はBの死期を早める影響を与えるものであった場合は，Aには傷害致死罪は「成立しない」とする本肢は，判例の趣旨に照らし誤っている。

ウ　正しい。傷害の意義については，人の生理的機能に障害を与えることであるとする説と，人の身体の完全性を害することであるとする説がある。この点，判例は，基本的には前説の立場にあり，例えば，女性の毛髪を根元から切断することは暴行に過ぎないとしている（**大判明治45・6・20**）。したがって，Aが，Bに対し，はさみを用いてその頭髪を根元から切断した場合，Aには傷害罪は成立せず，「暴行罪」が成立するとする本肢は，判例の趣旨に照らし正しい。

エ　正しい。傷害は，通常は暴行，即ち，人の身体に対する有形力の行使によって行われるが，「無形的方法」によっても行われ得る。この点，判例（**最決平成17・3・29**）は，自宅から隣家の被害者に向けて，精神的ストレスによる障害を生じさせるかもしれないことを認識しながら，連日連夜，ラジオの音声及び目覚まし時計のアラーム音を大音量で鳴らし続けるなどして，被害者に精神的ストレスを与え，**慢性頭痛症等を生じさせた行為は，傷害罪の実行行為に当たる**としている。したがって，Aが，隣家に居住するBに向けて，精神的ストレスによる障害を生じさせるかもしれないことを認識しながら，連日連夜にわたりラジオの音声及び目覚まし時計のアラーム音を大音量で鳴らし続け，Bに精神的ストレスを与え，慢性頭痛症，睡眠障害及び耳鳴り症の傷害を負わせた場合，Aには傷害罪が「成立する」とする本肢は，判例の趣旨に照らし正しい。

オ　誤り。結果的加重犯の重い結果の発生について過失を必要とするかにつき，学説の大勢は責任主義の観点からこれを肯定しているが，判例は，大審院以来一貫して否定的立場を取っており，傷害致死罪（刑205）の成立には，**致死の結果を予見することが可能であったことは，その要件ではない**としている（**最判昭和26・9・20**）。したがって，

Aは，Bの身体を圧迫する暴行を加え，その結果，Bを死亡させたが，暴行を加えた当時，Bが死亡することは予見していなかった場合，Aには傷害致死罪は「成立しない」とする本肢は，判例の趣旨に照らし誤っている。

以上により，判例の趣旨に照らし誤っているものは，**イ及びオ**であるから，**4**が正解となる。

第26問　　**正解▶　1**　　**難易度★☆☆**

> 本問は，毀棄及び隠匿の罪に関する出題である。

ア　正しい。建造物損壊罪（刑260）の客体である「建造物」の意義につき，判例（最決平成19・3・20）は，建造物に取り付けられた物が建造物損壊罪の客体に当たるかどうかは，当該物品と建造物の接合の程度のほか，その**機能上の重要性も総合的に考慮して**決せられるため，外壁と接続して外界とのしゃ断等の重要な役割を果たす「**住居の玄関ドア**」は，**適切な工具を使用すれば損壊せずに取り外しうる**としても，建造物損壊罪の客体に**当たる**としている。したがって，Aが，Bの住居の玄関ドアを金属バットで叩いて凹損させた場合，同玄関ドアは，住居の玄関ドアとして外壁と接続し，外界との遮断，防犯，防風，防音等の重要な役割を果たしていたが，「工具を使用すれば損壊せずに取り外すことが可能であった場合」でも，Aには，建造物損壊罪が「成立する」とする本肢は，判例の趣旨に照らし正しい。

イ　誤り。公用文書等毀棄罪（刑258）の実行行為としての「毀棄」の意義につき，判例（大判昭和9・12・22）は，**文書を持ち出し隠匿して**，一時その利用を不能にする行為も，毀棄であるとしている。したがって，Aが，抵当権の実行による競売を延期させようと考え，裁判所から競売事件の記録を持ち出してこれを隠匿したため，裁判所が一時的に競売を実施することができなくなった場合，Aには，公用文書等毀棄罪は「成立しない」とする本肢は，判例の趣旨に照らし誤っている。

ウ　誤り。建造物損壊罪（刑260）の実行行為としての「損壊」の意義につき，判例（最決平成18・1・17）は，区立公園内に設置された公衆便所の外壁に，ラッカースプレーで赤色及び黒色のペンキを吹き付けて「戦争反対」等と白色壁一面に大書した結果，本件建物の**外観ないし美観を著しく汚損**し，**原状回復に相当の困難を生じさせた**以上，その**効用を減損させた**ものとして，刑法第260条前段にいう建造物の「損壊」に当たるとしている。したがって，Aが公衆便所の外壁にラッカースプレーで落書きをし，その結果，公衆便所の美観は著しく汚損され，原状回復に相当な困難が生じた場合でも，Aには，建造物損壊罪は「成立しない」とする本肢は，判例の趣旨に照らし誤っている。

エ　正しい。公用文書等毀棄罪（刑258）の実行行為としての「毀棄」の意義につき，判

例（最決昭和32・1・29）は，被疑者が，ほしいままに弁解録取書を両手で丸め，しわくちゃにした上，床に投げ棄てる行為は，公用文書等毀棄罪に当たるとしている。したがって，Aが，現行犯人として逮捕され，警察署において，司法警察員から弁解録取書を読み聞かせられた際，同弁解録取書に署名する前に，これをひったくり，両手で破った場合，Aには，公用文書等毀棄罪が「成立する」とする本肢は，判例の趣旨に照らし正しい。

オ　誤り。境界損壊罪（刑262の2）は，境界標を損壊し，移動し，若しくは除去し，又はその他の方法により，「**土地の境界を認識することができないようにした**」場合に成立すると規定されている。この点，判例（**最判昭和43・6・28**）は，境界損壊罪が成立するためには，境界を認識することができなくなるという結果の発生を要するので，境界標を損壊したが，**未だ境界が不明にならない場合**には，器物損壊罪（刑261）が成立することがあっても，**境界損壊罪は成立しない**としている。したがって，Aが，A所有の甲土地とB所有の乙土地との境界に境界標として設置された有刺鉄線張りのB所有の丸太をのこぎりで切り倒し，境界標を壊したが，その境界は認識することが可能であった場合，Aには，境界損壊罪が「成立する」とする本肢は，判例の趣旨に照らし誤っている。

以上により，判例の趣旨に照らし正しいものは，**ア及びエ**であるから，**1**が正解となる。

第27問　正解▶　**2**　難易度★☆☆

> 本問は，発起人の責任に関する出題である。

ア　正しい。発起設立，募集設立のどちらの場合であっても，「発起人」は，株式会社の設立に際し，設立時発行株式を「**1株以上**」引き受けなければならないとされている（**会25Ⅱ**。本条は会社法第二編「株式会社」の第一章「設立」の**第一節**「**総則**」に置かれている規定であるので，発起設立及び募集設立の双方に適用がある。）。したがって，発起設立の場合も，募集設立の場合も，各発起人は，株式会社の設立に際し，設立時発行株式を一株以上引き受けなければならないとする本肢は，正しい。

イ　誤り。株式会社の成立の時における現物出資財産の価額が当該現物出資財産について定款に記載された価額に「著しく不足するとき」は，「発起人及び設立時取締役」は，当該株式会社に対し，当該不足額を支払う義務を負うのが原則である（**会52Ⅰ**）が，発起設立の場合には（**会103Ⅰ参照**），その職務を行うにつき注意を怠らなかったことを証明した場合には，「**現物出資者である場合を除き**」，不足額を支払う義務を負わないとされている（**会52Ⅱ②**）。したがって，発起人は，「自らが給付した」現物出資財産の価額が定款に記載された価額に著しく不足する場合であっても，その職務を行うについて注意を怠らなかったことを証明したときは，株式会社に対して当該不足額を支払う義務を「負わない」とする本肢は，誤っている。

ウ　誤り。株式会社が「成立しなかったとき」は，「発起人」は，連帯して，株式会社の設立に関してした行為についてその責任を負い，株式会社の設立に関して支出した費用を負担するとされている（**会56**）。**株式引受人を保護するとともに**，設立放棄を防止する趣旨であり，この責任は「無過失責任」と解されている。したがって，発起人は，株式会社が成立しなかった場合であっても，「設立時募集株式の引受人があるとき」は，当該株式会社の設立に関して支出した費用を「負担しない」とする本肢は，誤っている。

エ　正しい。発起人の責任を追及する訴えも，株主代表訴訟として提起することができるとされている（**会847Ⅰ本文**）。したがって，本肢は正しい。

オ　誤り。株式会社の設立の無効の訴え（**会828Ⅰ①**）に係る請求を認容する確定判決は，「**将来に向かって**」その効力を生じる（**会839**）ので，有効に成立した株式会社が解散した場合と同様に，「清算手続」が開始されるとされている（**会475②**）。この場合，発起人が株式会社の設立についてその任務を怠ったことによって当該株式会社に損害を生じさせた場合（**会53Ⅰ**）であっても，当該株式会社の設立の無効の訴えに係る請求を認容する判決が確定したときは，当該発起人は，当該株式会社に対し，損害を賠償する

責任を「負わない」などという規定は置かれていないので，本肢は誤っている。

以上により，正しいものは，**ア及びエ**であるから，**2** が正解となる。

第28問　　正解▶　**5**　　難易度★☆☆

> 本問は，株主の権利に関する出題である。

ア　**正しい**。会社の全株式を一人で所有している株主が，その株式の全部を会社の承認を得ないで譲渡した場合の会社との関係における効力につき，判例（**最判平成5・3・30**）は，株式の譲渡制限の定めは，専ら会社にとって好ましくない者が株主となることを防止し，もって譲渡人以外の株主の利益を保護することにあるから，いわゆる**一人会社の株主**が，その保有株式を譲渡するときは，**他の株主の利益保護の必要はない以上**，譲渡の承認機関による承認がなくても，その譲渡は**会社との関係においても有効**と解するのが相当であると判示している。したがって，取締役会設置会社の「唯一の株主」がその保有する譲渡制限株式を他人に譲渡した場合には，取締役会の決議による承認がないときであっても，その譲渡は，当該会社に対する関係において「有効である」とする本肢は，判例の趣旨に照らし正しい。

イ　**正しい**。基準日株主が行使することができる権利が「**株主総会又は種類株主総会における議決権**」である場合には，株式会社は，当該「**基準日後**」に株式を取得した者の全部又は「**一部**」を当該権利を行使することができる者と定めることが「**できる**」が，当該株式の基準日株主の権利を害することができないとされている（**会124Ⅳ**）。これは，基準日後に組織再編が行われた結果，新たに株主になった者などに議決権行使を認める機会を与えたいとする実務のニーズに対応したものである。したがって，株式会社は，基準日株主が行使することができる権利が株主総会における議決権である場合において，当該基準日株主の権利を害しないときは，基準日後に株式を取得した者の全部又は一部を議決権を行使することができる者と定めることができるとする本肢は，正しい。

ウ　**誤り**。株主名簿にその氏名又は名称及び住所が記載又は記録された株主（会121①）は，株式会社に対し，当該株主についての株主名簿に記載され，若しくは記録された株主名簿記載事項を記載した「書面の交付」又は当該株主名簿記載事項を記録した「電磁的記録の提供」を請求することができるとされている（**会122Ⅰ**）。会社法においては，株券は発行しないのが原則であるので（会214），株主たる地位の証明に用いる必要があるからである。しかし，同規定は「**株券発行会社**」には適用しないとされている（**会122Ⅳ**）。株券発行会社においては，株主たる地位の証明は株券の提示で足りるからである。なお，株券発行会社とは，「その株式に係る株券を発行する旨の定款の定めがある株式会社をいう」とされているので（**会117Ⅶ**），**現に株券を発行しているかどうか**

午前の部　解説

を問わず，株券発行会社については請求することはできないことに注意しておく必要がある。したがって，「株券発行会社」の株券を所持する株主は，当該会社に対し，当該株主に係る株主名簿記載事項を記載した書面の交付又は当該事項を記録した電磁的記録の提供を「請求することができる」とする本肢は，誤っている。

エ　**正しい**。株主に①剰余金の配当を受ける権利（会105Ⅰ①）「**及び**」②残余財産の分配を受ける権利（会105Ⅰ②）の「**全部**」を与えない旨の定款の定めは，その効力を有しないとされている（**会105Ⅱ**）。これらの権利は株式会社の所有者である株主にとって本質的な権利だからである。したがって，株主に剰余金の配当を受ける権利及び残余財産の分配を受ける権利の全部を与えない旨の定款の定めは，その効力を有しないとする本肢は，正しい。

オ　**誤り**。取締役会設置会社の株主は，その「権利を行使するため必要」があるときは，株式会社の営業時間内は，いつでも，取締役会議事録の閲覧又は謄写の請求をすることができるのが原則である（**会371Ⅱ**）が，①**監査役設置会社**（「監査役会設置会社」ではない），②監査等委員会設置会社又は③指名委員会等設置会社においては，株主は，その権利を行使するため必要があるときは，「**裁判所の許可**」を得て，取締役会議事録の閲覧又は謄写の請求をすることができるとされている（**会371Ⅲ**）。したがって，「監査役設置会社」において，株主が取締役会の議事録の閲覧又は謄写を請求するためには，裁判所の許可を得ることを「要しない」とする本肢は，誤っている。

　以上により，判例の趣旨に照らし誤っているものは，**ウ及びオ**であるから，**5**が正解となる。

第29問　正解▶　**4**　難易度★☆☆

> **本問は，株式の併合及び単元株式に関する出題である。**

ア　**誤り**。株式の「併合の割合」については，会社法上特に限界は定められていない（会180Ⅱ①）。したがって，株式の併合における併合の割合は，法務省令で定める一定の割合を下回ることはできないとする本肢は，誤っている。

イ　**正しい**。取締役は，株式の併合を決議する株主総会（会180Ⅱ）において，「**株式の併合をすることを必要とする理由**」を説明しなければならないとされている（**会180Ⅳ**）。したがって，本肢は正しい。なお，株主総会の議事録に，株式の併合をすることを必要とする理由を説明した旨の記載がない場合でも，株式の併合の決議が「適法に行われた旨」の記載があるときは，当該株式の併合による変更の登記の申請は受理するとされている（登記研究654号124頁）。

ウ　**誤り**。株式会社は，株式の併合をすることにより株式の数に一株に満たない端数が生

ずる場合において，当該株式について「**市場価格がないとき**」は，その端数の合計数に相当する数の株式を**裁判所の許可**を得て「**競売以外の方法**」によって売却することができるとされている（**会235Ⅱ→234Ⅱ前段**）。したがって，株式会社は，株式の併合をすることにより株式の数に一株に満たない端数が生ずる場合において，当該株式について市場価格がないときは，その端数の合計数に相当する数の株式を競売以外の方法によって売却することは「できない」とする本肢は，誤っている。

エ　**誤り**。株式会社は，単元未満株主が当該株式会社に対して**単元未満株式売渡請求**（単元未満株主が有する単元未満株式の数と併せて単元株式数となる数の株式を当該単元未満株主に売り渡すことを請求することをいう。）をすることができる旨を「**定款**」で定めることができるとされている（**会194Ⅰ**）。定款で定めるべきこととされたのは，募集株式の発行等の手続によらないで，自己株式を処分することを認めるという点で例外的な制度だからである。したがって，単元株式数に満たない数の株式を有する株主は，「定款の定めがない場合であっても」，株式会社に対し，当該株主が保有する単元未満株式の数と併せて単元株式数となる数の株式を当該株主に売り渡すことを「請求することができる」とする本肢は，誤っている。

オ　**正しい**。株式会社は，取締役の決定（取締役会設置会社にあっては，**取締役会の決議**）によって，定款を変更して単元株式数を「**減少**」し，又は単元株式数についての定款の定めを「**廃止**」することができるとされている（**会195Ⅰ**）。かかる定款変更の場合は，株主の議決権数が増加するので，株主は不利益を受けないと考えられるからである。したがって，取締役会設置会社は，取締役会の決議によって，定款を変更して単元株式数を減少することができるとする本肢は，正しい。

以上により，正しいものは，イ及びオであるから，4が正解となる。

第30問　　正解▶　**3**　　難易度★☆☆

本問は，株主総会に関する出題である。

ア　**誤り**。取締役会の決議について特別の利害関係を有する取締役は，議決に加わることができないとされている（会369Ⅱ）が，株主は，株主総会の決議について特別の利害関係を有する場合であっても，自らが譲渡人となる自己株式の取得に係る決議である場合等（会140Ⅲ，160Ⅳ，175Ⅱ）を除き，**議決に加わることができる**とされている。ただし，当該株主が議決権を行使したことによって，著しく不当な決議がされたときは，決議取消事由となる（会831Ⅰ③）。したがって，株主総会の決議について特別の利害関係を有する株主は，当該決議について，議決権を行使することは「できない」と言い切っている本肢は，誤っている。

イ　**正しい**。定款の変更は，原則としては株主総会の特別決議によるとされている（会466，309Ⅱ⑪）が，特別決議の要件については，**当該株主総会において議決権を行使することができる株主の議決権の過半数（「3分の1以上」の割合を「定款」で定めた場合にあっては，その割合以上）を有する株主が出席し，出席した当該株主の議決権の3分の2（これを「上回る割合」を「定款」で定めた場合にあっては，その割合）以上に当たる多数をもって行わなければならないと規定されている（会309Ⅱ前段）。**したがって，株式会社は，定款を変更する株主総会の決議について，当該株主総会において議決権を行使することができる株主の議決権の「3分の1以上」を有する株主が出席し，出席した当該株主の議決権の3分の2以上に当たる多数をもって行うこととする旨を「定款」で定めることができるとする本肢は，正しい。

ウ　**誤り**。株式会社は，株主総会に出席することができる「**代理人の数を制限**」することが「**できる**」とされている（**会310Ⅴ**）。株主総会の適正な運営を確保する趣旨である。したがって，株式会社は，株主総会に出席することができる代理人の数の制限をすることは「できない」とする本肢は，誤っている。

エ　**正しい**。株主は，その有する議決権を統一しないで行使することができる（会313Ⅰ）が，株式会社は，当該株主が「**他人のために株式を有する者でないとき**」は，当該株主がその有する議決権を統一しないで行使することを「**拒むことができる**」とされている（**会313Ⅲ**）。したがって，本肢は正しい。

オ　**誤り**。定時株主総会は，毎事業年度の終了後「一定の時期」に招集しなければならないとされている（**会296Ⅰ**）が，この定時総会が招集される事業年度の終了後の一定の時期は，旧商法と同様，株主名簿の基準日の規制との関係（会124Ⅱかっこ書）から，通常は，決算期後「3か月以内」とされているが，**会社法上，事業年度の終了後3か月以内に必ず定時株主総会を招集しなければならないものとされているわけではない。**したがって，定時株主総会は，毎事業年度の終了の日から3か月以内に招集しなければならないとする本肢は，誤っている。

以上により，正しいものは，イ及びエであるから，3が正解となる。

第31問　　**正解▶　4**　　**難易度★☆☆**

本問は，監査役に関する出題である。

ア　**誤り**。令和3年3月1日施行の改正により，**成年被後見人は取締役及び監査役の欠格事由ではなくなった**（旧会331Ⅰ②の削除，335Ⅰ）。したがって，成年被後見人は，監査役となることが「できない」とする本肢は，誤っている。

イ　**正しい**。監査等委員会設置会社及び**指名委員会等設置会社**は，「監査役」を置いて

ならないとされている（**会327Ⅳ**）。したがって，本肢は正しい。企業規模の大きな指名委員会等設置会社では，監督と執行が明確に分離されており，監査役を置く代わりに，委員3人以上で構成される「監査委員会」が設けられているからである（**会400Ⅰ，404Ⅱ**）。

ウ **誤り**。「監査役会設置会社」においては，監査役は，「**3人以上**」で，そのうち「**半数以上**」は，「**社外監査役**」（**会2⑯**）でなければならないとされている（**会335Ⅲ**）。したがって，本肢は，半数以上ではなく，「3分の2以上」としている点が，誤っている。

エ **正しい**。「株式会社又はその子会社」の監査役は，会計参与と「**なること**」ができない（**会333Ⅲ①**）が，「**親会社**」の監査役は子会社の会計参与を「**兼ねること**」ができないとされている（**会335Ⅱ**）。欠格事由と兼任禁止を混同しないように。したがって，監査役設置会社の監査役は，当該会社の子会社の会計参与を「**兼ねること**」ができないとする本肢は，正しい。なお，この兼任禁止は「監査役設置会社」（**会2⑨参照**）の監査役に限定されているわけではないので，本肢にはやや疑義があるが，他の肢との関係で，一応本肢は正しいとしておく。

オ **誤り**。役員（取締役，会計参与及び**監査役**：**会329Ⅰ**かっこ書）及び会計監査人は，「**いつでも**」，「**株主総会**」の決議によって解任することができるとされている（**会339Ⅰ**）。したがって，監査役設置会社の監査役は，「**正当な理由がなければ**」，株主総会の決議によって解任することができないとする本肢は，誤っている。なお，株主総会の決議により解任された者は，その解任について**正当な理由がある場合を除き**，株式会社に対し，**解任によって生じた損害の賠償を請求**することができるとされている（**会339Ⅱ**）。

以上により，正しいものは，**イ及びエ**であるから，**4**が正解となる。

第32問　　**正解▶　4**　　**難易度★☆☆**

> **本問は，株式会社の清算に関する出題である。**

ア **正しい**。清算株式会社の財産がその「**債務を完済するのに足りないことが明らかになったとき**」は，清算人は，「**直ちに**」破産手続開始の申立てを「**しなければならない**」とされている（**会484Ⅰ**）。したがって，本肢は正しい。なお，清算人は，清算株式会社が破産手続開始の決定を受けた場合において，「破産管財人にその事務を引き継いだとき」は，その任務を終了したものとするとされている（**会484Ⅱ**）。

イ **誤り**。裁判所が選任した清算人（**会478Ⅱ～Ⅳ**）についても，「**重要な事由**」があるときは，少数株主の申立てにより，「**裁判所**」で解任することはできる（**会479Ⅱ**）が，「**株主総会の決議**」で解任することはできないとされている（**会479Ⅰ**かっこ書）。した

がって，「裁判所が選任した」清算人は，重要な事由があるときは，「株主総会の決議」によって解任することが「できる」とする本肢は，誤っている。

ウ　**正しい**。「清算人」（清算人会設置会社にあっては，第489条第7項各号に掲げる清算人：代表清算人及び代表清算人以外の清算人であって，清算人会の決議によって清算人会設置会社の業務を執行する清算人として選定されたもの）は，原則として，清算株式会社の本店の所在地における清算結了の登記の時から10年間，「**清算株式会社の帳簿並びにその事業及び清算に関する重要な資料**」（以下この条において「**帳簿資料**」という。）を**保存しなければならない**（会508Ⅰ）が，「**裁判所は，利害関係人の申立てにより，前項の清算人に代わって帳簿資料を保存する者を選任**することができる。この場合においては，同項の規定は，適用しない。」とされている（**会508Ⅱ**）。したがって，裁判所は，利害関係人の申立てにより，清算人会設置会社でない清算株式会社の清算人に代わって当該清算株式会社の帳簿並びにその事業及び清算に関する重要な資料を保存する者を選任することができるとする本肢は，正しい。

エ　**誤り**。清算株式会社は，定款の定めによって，「清算人会，監査役又は監査役会」を置くことができるとされている（**会477Ⅱ**）が，取締役，代表取締役，特別取締役，執行役，代表執行役，会計参与，「**会計監査人**」，監査等委員会及び指名委員会等を**置くことはできない**。したがって，清算株式会社は，「会計監査人」を置くことが「できる」とする本肢は，誤っている。なお，会社法第471条（第4号及び第5号を除く。）又は第472条第1項本文の規定による解散の登記をしたときは，会計監査人設置会社である旨の登記及び会計監査人に関する登記を抹消する記号を記録しなければならないとされている（商登規72Ⅰ④）。

オ　**正しい**。株式会社の特別支配株主（株式会社の総株主の議決権の10分の9（これを上回る割合を当該株式会社の定款で定めた場合にあっては，その割合）以上を当該株式会社以外の者及び当該者が発行済株式の全部を有する株式会社その他これに準ずるものとして法務省令で定める法人（特別支配株主完全子法人）が有している場合における当該者をいう。）は，当該株式会社の株主（当該株式会社及び当該特別支配株主を除く。）の全員に対し，その有する当該株式会社の株式の全部を当該特別支配株主に売り渡すことを請求することができるとされている（**会179Ⅰ本文**）が，この**特別支配株主の株式等売渡請求**（第二章第四節の二）の規定は，**対象会社が清算株式会社である場合**には，**適用しない**とされている（**会509Ⅱ**）。したがって，清算株式会社の特別支配株主は，特別支配株主の株式等売渡請求をすることが「できない」とする本肢は，正しい。

以上により，誤っているものは，イ及びエであるから，4が正解となる。

> **本問は，持分会社に関する出題である。**

ア　**誤り**。「**株式会社**」（特例有限会社は除く，整備28）は，法務省令（会施規116⑥，会計規136）で定めるところにより，定時株主総会の終結後「**遅滞なく**」，**貸借対照表**（「大会社」にあっては，「貸借対照表及び損益計算書」）を**公告**しなければならないとされている（会440Ⅰ）が，「持分会社」には，「**合同会社**」を含め，**公告義務は課されていない**（会617参照）。したがって，「合同会社」は，各事業年度に係る貸借対照表の作成後遅滞なく，当該貸借対照表を「公告しなければならない」とする本肢は，誤っている。

イ　**正しい**。有限責任社員（合資会社の有限責任社員，合同会社の社員）の出資の目的は，「**金銭等**」（金銭その他の財産，会151Ⅰ柱書かっこ書）**に限られている**（会576Ⅰ⑥かっこ書）。したがって，合資会社の「有限責任社員」は，「労務や信用」を出資の目的とすることはできないとする本肢は，正しい。

ウ　**誤り**。組織変更をするには，「組織変更計画」を作成しなければならないとされている（会743後段）が，合名会社が合同会社となることは組織変更ではなく，定款の変更による「**持分会社の種類の変更**」によるとされている（**会638Ⅰ③**）。したがって，合名会社が「合同会社」となるためには，「組織変更計画」を作成しなければならないとする本肢は，誤っている。

エ　**正しい**。「法人」は，株式会社の「取締役」となることはできない（会331Ⅰ①，911Ⅲ⑬）が，持分会社の「業務執行社員」となることはできるとされており（**会598Ⅰ**，576Ⅰ④，914⑥），法人が業務を執行する社員である場合には，当該法人は，当該「**業務を執行する社員の職務を行うべき者**」を選任し，その者の「**氏名及び住所**」を他の社員に通知しなければならないとされている（**会598Ⅰ**）。したがって，本肢は正しい。

オ　**誤り**。持分会社の社員は，①当該持分会社の財産をもってその債務を完済することができない場合のほか，②当該持分会社の財産に対する強制執行がその効を奏しなかった場合にも，「連帯」して，持分会社の債務を弁済する責任を負う（会580Ⅰ）が，「**有限責任社員**」は，その**出資の価額（既に持分会社に対し履行した出資の価額を除く。）を限度**として，持分会社の債務を弁済する責任を負うとされている（会580Ⅱ）。したがって，「既に合資会社に出資の履行をした」有限責任社員も，当該合資会社の財産に対する強制執行がその効を奏しなかった場合には，連帯して，当該合資会社の債務を弁済する「責任を負う」とする本肢は，誤っている。

以上により，正しいものは，**イ及びエ**であるから，**4**が正解となる。

本問は，株式会社の組織再編行為に関する出題である。

ア　正しい。 株式会社が解散した場合には，当該株式会社を「**存続会社**」とする吸収合併はすることができないとされている（会474①）。清算株式会社は清算の目的の範囲内においてのみ清算が結了するまで存続するものとされており（会476），かかる会社が他の会社の事業に関する権利義務を承継することには問題があるからである。したがって，解散したことにより清算をする株式会社は，当該株式会社を「吸収合併存続株式会社」とする吸収合併をすることが「できない」とする本肢は，正しい。なお，吸収合併消滅会社及び新設合併消滅会社となることはできることに注意しておくこと。

イ　誤り。 吸収合併においては，「合併対価」を全く交付しないことも認められている（会749Ⅰ②は，金銭等を交付しない場合も予定しているので，「交付するときは」と規定している。）。したがって，「吸収合併」において，吸収合併存続株式会社は，吸収合併消滅株式会社の株主に対して，合併対価を交付しないこととすることが「できない」とする本肢は，誤っている。なお，新設合併においては，設立会社は必ず1株は発行しなければならないので，無対価ということはありえない。

ウ　誤り。 会社の新設合併の無効の訴えの「被告」は，「**新設合併により設立する会社**」とされている（**会834⑧**）。したがって，新設合併契約を承認した新設合併消滅株式会社の株主総会の決議に瑕疵があることを理由とする新設合併の無効の訴えであるとしても，「当該新設合併消滅株式会社」を被告とすることはできないので，本肢は誤っている。

エ　正しい。 吸収分割において，吸収分割株式会社が株主総会の決議によって吸収分割契約の承認を受けなければならないときは，「**当該株主総会において議決権を行使することができない株主**」は，当該吸収分割株式会社に対し，自己の有する株式を公正な価格で買い取ることを請求することができるとされている（会785Ⅰ・Ⅱ①ロ）。したがって，本肢は正しい。

オ　誤り。「株式交換完全親会社の債権者」は，株式交換をする場合において，①株式交換新株予約権が新株予約権付社債に付された新株予約権であるときのほか，②**株式交換完全子会社の株主に対して交付する金銭等が株式交換完全親会社の株式その他これに準ずるものとして法務省令**（会施規198）**で定めるもののみである場合以外のとき**は，株式交換完全親会社に対し，株式交換について異議を述べることができるとされている（**会799Ⅰ③**）。したがって，株式交換完全親株式会社が株式交換に際して株式交換完全子会社の株主に対して交付する対価が「金銭のみ」である場合には，当該株式交換完全親株式会社の債権者は，当該株式交換完全親株式会社に対し，当該株式交換について異

議を述べることができるので，「できない」とする本肢は，誤っている。

以上により，正しいものは，**ア及びエ**であるから，**2**が正解となる。

第35問   正解▶ **1**   難易度★☆☆

本問は，商行為に関する出題である。

ア **誤り**。民法では，「本人の死亡」は代理権の当然消滅事由とされている（**民111Ⅰ①**）が，「**商行為の委任による代理権**」は，「**本人の死亡**」によっては，**消滅しない**とされている（**商506**）。営業活動の中断による不利益を回避しつつ，相手方の取引の安全の要請にも応えようとする趣旨である。したがって，商行為の委任による代理権は，本人の死亡によって「消滅する」とする本肢は，誤っている。なお，「商行為の委任による代理権」とは，代理権授与行為としての委任行為が委任者にとって商行為である場合をいい（大判昭和13・8・1），商法第506条は，代理権授与行為が付属的商行為（**商503**）である場合，即ち，「本人が商人である場合」の規定であると解されている。

イ **正しい**。「**商人間の売買**」においては，買主は，その売買の目的物を受領したときは，**遅滞なく**，その物を「**検査**」しなければならず（**商526Ⅰ**），売買の目的物が「**種類又は品質**」に関して契約の内容に適合しないことを「直ちに発見することができない場合」に，買主が「**6か月以内**」にその不適合を発見したときは，「直ちに」売主に対してその旨の通知を発しなければ，売買の目的物が種類，品質又は数量に関して契約の内容に適合しないことにつき「**売主が悪意であった場合**」を除き（**商526Ⅲ**），その不適合を理由とする履行の追完の請求，代金の減額の請求，損害賠償の請求及び契約の解除をすることができなくなるとされている（**商526Ⅱ後段**）。したがって，商人間の売買において，当該売買の目的物が品質に関して契約の内容に適合しないことにつき「売主が悪意であった場合」において，その不適合を直ちに発見することができないときであって，買主が当該目的物の受領後6か月以内に当該不適合を発見したときは，買主は，売主に対してその旨の通知を発することを怠ったときであっても，売主に対し，当該不適合を理由とする損害賠償の請求をすることが「できる」とする本肢は，正しい。

ウ **誤り**。匿名組合員の出資は，「**営業者**」の財産に属するとされている（**商536Ⅰ**）。したがって，匿名組合員の出資は，「匿名組合員全員の共有」に属するとする本肢は，誤っている。その趣旨は，匿名組合員の出資した財産は，民法上の組合のように当事者の共有財産（民668）とはならないから，匿名組合員には共有持分の観念を認めず，営業者の財産としてのみ認める点にある。

エ **正しい**。仲立人は，**当事者の一方の氏名又は名称をその相手方に示さなかったとき**は，当該相手方に対して**自ら履行をする責任**を負うとされている（**商549**，介入義務）。し

— 173 —

たがって，本肢は正しい。なお，この介入義務は，氏名・名称を隠された相手方当事者を保護して仲立人の責任を規定したものであり，「仲立人が契約成立後に当事者の氏名・名称を明らかにしても」，仲立人の介入義務は消滅しないと解されていることに注意しておくこと。

オ　**正しい**。問屋は，「**取引所の相場がある物品**」の販売又は買入れの委託を受けたときは，「**自ら**」買主又は売主となることができるとされている（**商555Ⅰ前段**）。したがって，本肢は正しい。なお，この場合において，売買の代価は，「問屋が買主又は売主となったことの通知を発した時における取引所の相場」によって定めるとされている（商555Ⅰ後段）。

以上により，誤っているものは，**ア及びウ**であるから，**1**が正解となる。

民事訴訟法

第1問　　正解▶ **5**　　難易度★☆☆

> 本問は，訴訟委任に基づく訴訟代理人に関する出題である。

ア　正しい。 訴訟代理人の資格については，法令により裁判上の行為をすることができる
代理人（支配人等，商21Ⅰ，会11Ⅰ）のほか，「弁護士」でなければ訴訟代理人とな
ることができない（弁護士代理の原則）が，「簡易裁判所」においては，軽微な事件も
あるので，事件ごとにその許可を得て，「**弁護士でない者**」を訴訟代理人とすることが
できるとされている（**民訴54Ⅰ**）。したがって，「簡易裁判所」においては，その「許
可」を得て，「当事者の親族」を訴訟代理人とすることができるとする本肢は，正しい。

イ　正しい。「訴訟」代理人の「事実」に関する陳述は，当事者が「**直ちに**」取り消し，
又は**更正**したときは，その**効力を生じない**とされている（**民訴57**）。本人は訴訟代理人
を選任しても訴訟能力を失わないし，事実関係については，訴訟代理人より当事者の方
がよく知っていることから，本人の陳述を尊重したのである。したがって，相手方の具
体的な「事実」の主張について訴訟代理人がした認否は，当事者が「直ちに」これを取
り消したときは，その効力を生じないとする本肢は，正しい。

ウ　誤り。 法定代理人の代理権とは異なり（民111Ⅰ①），「**訴訟代理人**」の代理権は，「**本
人（当事者）の死亡**」によっては**消滅しない**とされている（**民訴58Ⅰ①**）。これは，委
任事務の範囲が明確であり（民訴55Ⅲ参照），また，本人の死亡によって訴訟代理権が
消滅しないとしても，通常訴訟代理人は弁護士であるので（民訴54Ⅰ），信頼性を有し
ているからである。したがって，「訴訟代理権」は，委任をした当事者が死亡した場合
には，「消滅する」とする本肢は，誤っている。

エ　正しい。 法定代理権だけでなく，訴訟代理権の消滅も，本人又は代理人から相手方に
「通知」しなければ，その「**効力を生じない**」とされている（**民訴59→36Ⅰ**）。これは，
裁判所及び相手方は，代理権の消滅を容易に知り得ないことから，手続の安定を図るた
め，代理権の消滅に関することは明らかにしておく必要があるためである。したがって，
当事者が訴訟代理人を解任したときであっても，訴訟代理権の消滅は，「本人又は代理
人」から相手方に「通知」をしなければ，その「効力を生じない」とする本肢は，正しい。

オ　誤り。 訴訟代理人が「控訴」をするには，その旨の**特別の委任**を得なければならない
とされている（**民訴55Ⅱ③**）。つまり，訴訟代理権は，審級ごとに別個に授与されるの

である（**審級代理の原則**）。したがって，訴訟代理人が委任を受けた事件について控訴をするには，特別の委任を「要しない」とする本肢は，誤っている。

以上により，誤っているものは，**ウ**及び**オ**であるから，**5**が正解となる。

第2問　正解▶ **2**　難易度★☆☆

本問は，複雑訴訟形態に関する出題である。

ア　**正しい**。一の訴えで数個の請求をする場合には，その「価額を合算したもの」を訴訟の目的の価額とする（民訴9Ⅰ本文）が，その「**訴えで主張する利益が各請求について共通である場合**」におけるその各請求については，その**価額を合算しない**とされている（**民訴9Ⅰただし書**）。例えば，50万円の貸金の返還請求と，100万円の代金支払請求とが併合されている場合には，訴額は合計で「150万円」となり，地方裁判所の事物管轄に属するが，時価100万円の物の引渡と，その引渡執行が不能である場合における損害賠償請求（代償請求）については，ただし書が適用され，訴額は100万円となる。したがって，一の訴えで一人に対して数個の請求をする場合において，その訴えで主張する利益が各請求について共通であるときは，各請求の価額を「合算せずに」，訴訟の目的の価額を算定するとする本肢は，正しい。

イ　**誤り**。併合請求における管轄については，一の訴えで数個の請求をする場合には，第4条から前条まで（第6条第3項を除く。）の規定により**一の請求について管轄権を有する裁判所にその訴えを提起することができる**が，**数人からの又は数人に対する訴え**については，**第38条前段に定める場合**（訴訟の目的である権利又は義務が数人について共通であるとき，又は同一の事実上及び法律上の原因に基づくとき）**に限る**とされており（民訴7），**第38条後段に定める**「訴訟の目的である権利義務が同種であって事実上及び法律上同種の原因に基づくとき」は請求相互間の関係が希薄であるので，併合請求の裁判籍は認められないことに注意しておく必要がある。したがって，数人に対する一の訴えについては，訴訟の目的である権利又は義務が同種であって事実上及び法律上同種の原因に基づくときは，一の請求について管轄権を有する裁判所にその訴えを提起することが「できる」とする本肢は，誤っている。

ウ　**誤り**。同時審判の申出については，「**共同被告**」（既に共同訴訟として成立している場合にのみ可能であり，別々に審理されている事件の併合強制まで認めるものではない）**の一方に対する訴訟の目的である権利と共同被告の他方に対する訴訟の目的である権利**とが「**法律上併存し得ない関係**」にある場合（例えば，本人に対する契約上の責任と無権代理人に対する責任を求める場合：民117Ⅰ，土地の工作物の占有者と所有者の損害賠償責任を求める場合：民717Ⅰ）において，「**原告の申出**」があったときは，弁論及

— 176 —

び裁判は，**分離しないでしなければならないと規定されている**（民訴41 I）。この同時審判の申出の趣旨は，「訴えの主観的予備的併合」が問題となる場合，請求ごとに裁判所の判断が別々となって共同被告の双方に敗訴することを避けたいという原告の意思を尊重することにある。したがって，一の訴えで「一人に対して」数個の請求がされた場合において，原告の申出があったときは，弁論及び裁判は，「分離しないでしなければならない」とする本肢は，誤っている。

エ　**誤り**。訴えの変更については，**請求の基礎に変更がないこと**（民訴143 I 本文）を要件として，**応訴する相手方の立場は考慮されているので**，訴えを変更するにつき，「**相手方の同意」を要するとはされていない**。したがって，相手方が本案について口頭弁論をした後は，「相手方の同意を得なければ」，訴えの追加的変更をすることが「できない」とする本肢は，誤っている。

オ　**正しい**。裁判所は，「**当事者を異にする事件**」について口頭弁論の併合を命じた場合において，**その前に尋問をした「証人」について，「尋問の機会がなかった当事者が尋問の申出をしたとき」は，その尋問をしなければならない**（必要的）とされている（**民訴152 II**）。弁論の併合前になされた各訴訟の証拠資料は共通の判断資料となると解されているので（**最判昭和41・4・12**），既に終了した証人尋問に立ち会えなかった当事者に再尋問の機会を保障するものである。したがって，裁判所は，当事者を異にする事件について口頭弁論の併合を命じた場合において，その前に尋問をした証人について，尋問の機会がなかった当事者が尋問の申出をしたときは，その尋問をしなければならないとする本肢は，正しい。

以上により，正しいものは，ア及びオであるから，2 が正解となる。

第3問　　正解▶ 2　　難易度★☆☆

> **本問は，当事者の出頭に関する出題である。**

ア　**正しい**。原告「又は」被告が（「双方」欠席の場合は不可→訴えの取下げ擬制：民訴263）「**最初にすべき**」（続行期日は不可。ただし簡易裁判所は可：民訴277）**口頭弁論の期日**（弁論準備手続について準用，民訴170 V）に**出頭せず**，又は出頭したが本案の弁論をしないときは，裁判所は，**その者が提出した訴状又は答弁書その他の準備書面に記載した事項を陳述したものとみなし，出頭した相手方に弁論をさせることが「できる」**とされている（**民訴158**）。したがって，「原告」が「最初にすべき」口頭弁論の期日に出頭しないときであっても，裁判所は，原告が提出した訴状に記載した事項を陳述したものとみなし，その期日に出頭した被告に弁論をさせることができるとする本肢は，正しい。

イ　**誤り**。訴えの取下げが口頭弁論等の期日において口頭でされた場合（民訴261Ⅲただし書）において，相手方がその期日に出頭したときは訴えの取下げがあった日から，相手方がその期日に出頭しなかったときはその「**期日の調書の謄本の送達（民訴261Ⅳ）があった日**」から**2週間**以内に相手方が異議を述べないときは，訴えの取下げに同意したものとみなすとされている（**民訴261Ⅴ後段**，改正法施行後は民訴261Ⅵ）。したがって，訴えの取下げに被告の同意が必要な場合（民訴261Ⅱ）において，被告が出頭しない口頭弁論の期日で原告が口頭で訴えを取り下げ，「その期日」から2週間以内に被告が異議を述べないときは，被告は，訴えの取下げに同意したものとみなされるとする本肢は，2週間の起算点が誤っている。

ウ　**誤り**。「当事者本人」を尋問する場合において，その当事者が，**正当な理由なく，出頭せず**，又は宣誓若しくは陳述を拒んだときは，裁判所は，「**尋問事項に関する相手方の主張**」を真実と「**認めることができる**」とされている（**民訴208**）。しかし，「認めなければならない」とは規定されていないので，当事者本人を尋問する場合において，その当事者が正当な理由なく出頭しなかったときは，裁判所は，尋問事項に関する相手方の主張を真実と「認めなければならない」とする本肢は，誤っている。

エ　**誤り**。裁判所及び当事者双方が「音声」の送受信により同時に通話をすることができる方法によって，弁論準備手続の期日における手続を行うことができる場合につき，令和5年3月1日施行の改正により，「当事者が遠隔の地に居住しているときその他相当と認めるとき」を単に「相当と認めるとき」と，「**ただし，当事者の一方がその期日に出頭した場合に限る**」とするただし書の規定を削除する改正（**民訴170Ⅲ**）がなされたことに注意しておく必要がある。したがって，裁判所は，「当事者の一方が弁論準備手続の期日に出頭した場合に限り」，裁判所及び当事者双方が音声の送受信により同時に通話をすることができる方法によって，その期日における手続を行うことができるとする本肢は，旧法によれば正しかったが，現行法によれば誤っている。

オ　**正しい**。「**被告が口頭弁論において原告の主張した事実を争わず，その他何らの防御の方法をも提出しない場合**」において，原告の請求を「**認容**」するときは，判決の言渡しは，第252条の規定にかかわらず，**判決書の原本に基づかないですることができる**とされている（**民訴254Ⅰ①**）。したがって，被告が口頭弁論の期日に出頭したが，原告の主張した事実を争わず，その他何らの防御の方法をも提出しない場合において，原告の請求を認容するときは，裁判所は，判決書の原本に基づかないで判決を言い渡すことができるとする本肢は，正しい。なお，「少額訴訟手続」（民訴374Ⅱ）とは異なり，「簡易裁判所の通常手続」については民事訴訟法第254条の特則は規定されていないことに注意しておくこと。

以上により，正しいものは，**ア及びオ**であるから，**2**が正解となる。

> **本問は，裁判によらない訴訟の完結に関する出題である。**

ア　**誤り**。請求の放棄又は認諾は，「口頭弁論等の期日」においてする（民訴266 I）と
されており，「書面」でしなければならないとはされていない。したがって，本肢は
誤っている。なお，請求の放棄又は認諾のためだけに出頭するのは煩わしいため，請求
の放棄又は認諾をする旨の「書面」を提出した当事者が口頭弁論等の期日に出頭しない
ときは，裁判所又は受命裁判官若しくは受託裁判官は，その旨の陳述をしたものとみな
すことができるとされている（民訴266 II）ことに注意しておくこと。

イ　**正しい**。和解又は請求の放棄若しくは**認諾を調書に記載**したときは，その記載は，**確
定判決と同一の効力**を有するとされている（**民訴267**，未施行改正民訴267 I参照）。し
たがって，本肢は正しい。

ウ　**誤り**。「裁判外で訴え取下げの合意が成立」した場合につき，判例（**最判昭和44・
10・17**）は，訴えの取下げの合意は，私法契約としての効力のみを有し，合意により
直ちに訴訟上の効力として訴え取下げ（民訴261）の効力が生ずるものではなく，権利
保護の利益を喪失したものとして，「**訴えを却下**」すべきであるとしている。したがっ
て，当事者間における訴えの取下げに関する「裁判外の合意」の成立が証拠上認められ
るときは，「訴えの取下げ」があったものとみなされるとする本肢は，判例の趣旨に照
らし誤っている。

エ　**誤り**。裁判所は，訴訟係属中ならば，「**訴訟がいかなる程度にあるかを問わず**」，訴訟
の開始後，判決が確定するまで，**和解を試み**，又は「**受命裁判官若しくは受託裁判官**」
に和解を試みさせることができるとされている（**民訴89 I**）。弁論準備手続においても，
また，口頭弁論終結後においても，**訴訟が係属している限り**，裁判所は，和解を勧める
ことができる。和解の勧めであるから，口頭弁論終結後であっても，**弁論を再開する必
要はない**。したがって，裁判所は，口頭弁論を終結した後判決の言渡しまでの間に和解
を試みるときは，口頭弁論を「再開しなければならない」とする本肢は，誤っている。

オ　**正しい**。裁判所又は受命裁判官若しくは受託裁判官は，「**当事者の共同の申立て**」が
あるときは，**事件の解決のために適当な和解条項を定める**ことができるとされている
（**民訴265 I**）が，この和解条項の定めは，口頭弁論等の期日（**口頭弁論，弁論準備手
続又は和解の期日**，民訴261 IIIただし書参照）における告知「**その他相当と認める方法
による告知**」によってするとされている（**民訴265 III**）。したがって，裁判所が当事者
の共同の申立てにより事件の解決のために適当な和解条項を定めるときは，その和解条
項の定めは，口頭弁論，弁論準備手続又は和解の期日における告知その他相当と認める
方法による告知によってするとする本肢は，正しい。

以上により，判例の趣旨に照らし正しいものは，**イ及びオ**であるから，**4**が正解となる。

第5問　　正解▶　**4**　　難易度★☆☆

本問は，少額訴訟に関する出題である。

ア　**正しい**。「公示送達によらなければ被告に対する最初にすべき口頭弁論の期日の呼出しをすることができないとき」は，裁判所は，職権で，**少額訴訟を通常の手続により審理及び裁判をする旨の決定をしなければならない**とされている（**民訴373Ⅲ③**）。したがって，本肢は正しい。なお，この裁判所による通常訴訟への移行決定に対しては不服を申し立てることができないとされていることにも注意しておくこと（**民訴373Ⅳ**）。

イ　**誤り**。「被告」は，訴訟を「通常の手続に移行」させる旨の申述をすることができるとされている（**民訴373Ⅰ本文**）。原告が少額訴訟を選択できるのに対して，被告側にも通常手続への移行申述権が与えられている。当事者間の公平を図り，被告の利益を保護するためにも適当である上に，簡易・迅速な審理実現に向けて被告の協力を得るために，被告の意思を尊重することが必要だからである。ただし，被告が**最初にすべき口頭弁論の期日において弁論をし，又はその期日が終了した後は，この限りでない**とされている（**民訴373Ⅰただし書**）。ただし書は，手続安定の要請及び一期日審理の原則（民訴370）を採用する少額訴訟の構造からの制限である。したがって，被告は，「最初にすべき口頭弁論の期日において弁論をした後」であっても，口頭弁論の終結に至るまで，訴訟を通常の手続に移行させる旨の申述をすることが「できる」とする本肢は，誤っている。

ウ　**正しい**。少額訴訟においては，証人の尋問は，**宣誓をさせないですることができる**とされている（**民訴372Ⅰ**）。したがって，本肢は正しい。少額訴訟手続は，訴訟知識に乏しい一般市民の利用を想定しているので，証拠調べの手続においても，その手続の厳格さを緩和して簡略化が図られているのである（民訴201Ⅰの特則）。

エ　**正しい**。少額訴訟においては，裁判所は，**相当と認めるとき**は，最高裁判所規則で定めるところにより，裁判所及び当事者双方と証人とが「音声の送受信」により同時に通話をすることができる方法（電話会議の方法）によって，**証人を尋問する**ことができるとされている（**民訴372Ⅲ**）。したがって，本肢は正しい。少額訴訟手続は，一般市民の利用を想定しているので，その負担の軽減のため，証拠調べの手続においても，証人の都合等にあわせ柔軟に対処できるようにしたのである（民訴204の特則）。

オ　**誤り**。**少額訴訟の終局判決に対しては，「控訴」をすることができない**とされている（**民訴377**）。通常訴訟と同様の不服申立てを認めると，少額訴訟における簡易・迅速な紛争解決という制度の趣旨を損なうことになるからである。したがって，控訴をするこ

とが「できる」とする本肢は，誤っている。ただし，少額訴訟においては同一審級での不服申立てとして，「異議の申立て」が認められていることに注意しておくこと（民訴378）。

以上により，誤っているものは，**イ及びオ**であるから，**4**が正解となる。

民事保全法

> 本問は，民事保全全般に関する出題である。

ア　**正しい**。「仮の地位を定める仮処分命令」は，「口頭弁論又は債務者が立ち会うことができる審尋の期日」を経なければ，これを発することができないのが原則である（**民保23Ⅳ本文**）が，債務者の執行妨害のおそれがある場合など，「**口頭弁論又は債務者が立ち会うことができる審尋の期日を経ることにより仮処分命令の申立ての目的を達することができない事情があるとき**」は，その期日を経ることなく，発することができるとされている（**民保23Ⅳただし書**）。したがって，本肢は正しい。

イ　**誤り**。「**保全命令**」に対しては，「**債務者**」は，その「**命令を発した裁判所**」に，「**保全異議**」を申し立てることができるとされている（**民保26**）。したがって，「**即時抗告**」ではないので（**民保19Ⅰ参照**），本肢は誤っている。

ウ　**正しい**。保全命令の申立てを取り下げるには，債務者が特段の不利益を被ることはないから，保全異議又は保全取消しの申立てがあった後においても（**時期的な制限はない**），「**債務者の同意**」を得ることを**要しない**とされている（**民保18**）。なぜなら，保全命令には既判力がなく，権利を最終的に確定することにはならないので，訴えの取下げ（**民訴261Ⅱ，262Ⅰ**）と異なって，保全命令の申立ての取下げにより債務者が不利益を被るおそれはないからである。したがって，「保全命令が発せられた後」であっても，保全命令の申立てを取り下げるには，債務者の同意を得ることを「要しない」とする本肢は，正しい。

エ　**正しい**。**物の給付その他の作為又は不作為を命ずる仮処分の執行**については，**仮処分命令を「債務名義」と「みなす」**とされている（**民保52Ⅱ**）。したがって，本肢は正しい。

オ　**誤り**。執行官は，占有移転禁止の仮処分命令の執行をするときは，**はく離しにくい方法により公示書を掲示する方法その他相当の方法**により，民事保全法第25条の2第1項第2号に規定する公示（**執行官に，係争物の保管をさせ，かつ，債務者が係争物の占有の移転を禁止されている旨及び執行官が係争物を保管している旨の公示**）をしなければならないとされている（**民保規44Ⅰ前段**）。したがって，不動産の占有移転禁止の仮処分命令の執行は，債務者に対してその不動産の占有の移転を禁止することを命ずるとともに，その旨の「登記をする方法」により行うとする本肢は，誤っている。

以上により，誤っているものは，**イ及びオ**であるから，**3**が正解となる。

民事執行法

第7問　　正解▶　**4**　　難易度★★☆

> 本問は，債務者の財産状況の調査に関する出題である。

ア　誤り。財産開示手続の申立てをすることができるのは，①「執行力のある債務名義の正本」を有する金銭債権の債権者（民執197Ⅰ）及び②債務者の財産について**一般の先取特権を有することを証する「文書」を提出した債権者**である（**民執197Ⅱ**）。したがって，債務者の財産について一般の先取特権を有する債権者であっても，その被担保債権について「執行力のある債務名義の正本」を有しない場合には，当該債務者について，財産開示手続を申し立てることが「できない」とする本肢は，誤っている。一般の先取特権を有する債権者について，財産開示手続の申立権が認められているのは，債務者の総財産から優先弁済を受けることができる反面（民306），債務者の財産に関する十分な情報を有しない場合には民事執行の申立てをすることが困難になる点において，債務名義を有する一般債権者と同様であり，その債権の保護を図る社会政策的な必要性も高いと考えられたことによるものである。

イ　正しい。財産開示手続の申立人（民執201①）以外の者であっても，「**債務者に対する金銭債権について執行力のある債務名義の正本を有する債権者**」は，当該財産開示手続に係る事件の記録中「財産開示期日に関する部分」の閲覧をすることができるとされている（**民執201②**）。したがって，本肢は正しい。

ウ　誤り。「銀行等に対する債務者の預貯金債権等」に係る情報の取得を執行裁判所に申し立てることができる債権者は「執行力のある債務名義の正本を有する金銭債権の債権者」とされている（民執207Ⅰ）が，「**市町村等に対する債務者の給与債権**」に係る情報の取得を執行裁判所に申し立てることができる債権者は「**第151条の2第1項各号に掲げる義務＜扶養義務等＞に係る請求権又は人の生命若しくは身体の侵害による損害賠償請求権について執行力のある債務名義の正本を有する債権者**」とされている（**民執206Ⅰ**）。したがって，「貸金返還請求権」について執行力のある債務名義の正本を有する債権者は，第三者からの情報取得手続において，債務者の「給与債権」に係る情報の提供を求めることが「できる」とする本肢は，誤っている。

エ　誤り。債務者の預貯金債権に関する金融機関からの情報取得手続は，**第197条第1項各号のいずれかに該当するとき**に認められている（**民執207Ⅰ**）が，「先に財産開示期日における手続が実施」されていなければ，申し立てることができないとはされていない。したがって，本肢は誤っている。

オ　正しい。第三者からの情報取得手続に係る事件に関する情報の目的外利用の制限につ

き，「申立人は，第三者からの情報取得手続において得られた債務者の財産に関する情報を，**当該債務者に対する債権をその本旨に従って行使する目的以外の目的**のために利用し，又は提供してはならない。」と規定されている（**民執210Ⅰ**）。したがって，本肢は正しい。

以上により，正しいものは，**イ及びオ**であるから，**4**が正解となる。

司法書士法

第8問　　正解▶　**1**　　難易度★☆☆

> 本問は，司法書士又は司法書士法人に関する出題である。

ア　**誤り**。「司法書士」は，**2以上の事務所を設けることができない**とされている（**司書規19**，事務所単一主義）。司法書士については，司法書士の常駐しない事務所が非司法書士の活動の温床になるおそれがあること等の理由により，複数の事務所の設置が禁止されているのである（注釈司法書士法第3版221頁）。日本司法書士会連合会が備える名簿に登録を受けることにより，二以上の事務所を設けることができるなどという例外は認められていないので，本肢は誤っている。

イ　**正しい**。司法書士は，病気や事故のため業務を遂行することができないとき等，**正当な事由がある場合**でなければ依頼（簡裁訴訟代理等関係業務に関するものを除く）を拒むことができないとされている（**司書21**）。したがって，司法書士は，正当な事由がある場合でなければ，「簡易裁判所に提出する書類を作成する業務」の依頼を拒むことができないとする本肢は，正しい。簡裁訴訟代理等関係業務に関するものを除き，正当な事由がある場合でなければ依頼を拒むことができないとされているのは，本来，国から独占業務資格を付与されている資格者は公共的役割を担っていること，また登記手続の代理や「**裁判書類作成**」等の登記手続代理等業務については，新たな利害関係や法律関係を創り出すものではなく，当事者の依頼の趣旨を法律的に構成することが業務の中心となるため，登記手続代理等業務について司法書士に対して正当な事由がない場合において依頼に応ずる義務を負わせても，依頼の趣旨が損なわれるようなことにはならないと考えられるからである。これに対し，「簡裁訴訟代理等関係業務」に関するものが除かれているのは，簡裁訴訟代理等関係業務は，登記手続代理等業務と異なり，その業務の性質上，独立性の高い職務として，依頼者との間に継続的で強い信頼関係が必要になるため，司法書士に対し，罰則の制裁（司書75Ⅰ：100万円以下の罰金）のもと，依頼に応ずる義務を課すことは相当でないからである（注釈司法書士法第3版223頁）。

ウ　**誤り**。司法書士法人は，その「**事務所**」に＜主たる事務所のみならず「**従たる事務所**」にも＞，「当該事務所の所在地を管轄する法務局又は地方法務局の管轄区域内に設立された司法書士会の会員」である「**社員**」を「**常駐**」させなければならないとされている（**司書39**）。したがって，司法書士法人は，「従たる事務所」に社員を常駐させることを「要しない」とする本肢は，誤っている。

エ　**正しい**。司法書士法人の「**社員**」は，①自己若しくは第三者のためにその**司法書士法人の業務の範囲に属する業務を行い**，又は②他の司法書士法人の社員となってはならな

午後の部　解説

— 185 —

いとされている（司書42Ⅰ）。したがって，司法書士法人の社員は，第三者のためにその司法書士法人の業務の範囲に属する業務を行なってはならないとする本肢は，正しい。司法書士法第42条は，法人の内部的な利益を保護するための規定ではなく，「専門資格者法人としての司法書士法人の特殊性から設けられた規定」であるので，持分会社の業務執行社員の競業の禁止とは異なり，「他の社員全員の承諾」があっても認められないし（会594Ⅰ本文参照），「定款」によって別段の定めをすること（会594Ⅰただし書参照）も許されないと解されている（注釈司法書士法第3版359頁）ことに注意しておくこと。

オ　**正しい**。司法書士法人は，その「**主たる事務所の所在地**」において「**設立の登記**」をすることによって**成立**し（**司書33**），司法書士法人は，その「**成立の時**」に，当然に「**主たる事務所の所在地**」**の司法書士会の会員となる**とされている（**司書58Ⅰ**）。したがって，司法書士法人は，その主たる事務所の所在地において設立の登記をすることによって，当該所在地の司法書士会の会員となるとする本肢は，正しい。

以上により，誤っているものは，ア及びウであるから，1が正解となる。

第9問　正解▶　**4**　難易度★☆☆

> 本問は，担保（保証）供託に関する出題である。

ア　誤り。裁判上の担保（保証）供託においては，**相手方（被告）の同意なくして**，「**第三者**」が当事者に代わってすることができるとされている（昭和35年度全国供託課長会同決議）。したがって，被告の同意がない限り，原告以外の第三者が供託者となることはできないとする本肢は，誤っている。

イ　正しい。被告は，訴訟費用の担保として供託された金銭又は有価証券について，**他の債権者に先立ち弁済を受ける権利**を有するとされているので（**民訴77**），訴訟費用の担保として原告が供託した供託物に対する権利の実行については，被告は，裁判所の配当手続によらず，供託所に対し「**直接還付を請求**」することができるとされている。したがって，本肢は正しい。

ウ　誤り。当事者が供託をする方法により「**仮執行免脱の担保**」（民訴259Ⅲ）を立てる場合の供託物は，金銭だけではなく，「**裁判所が相当と認める有価証券**」も認められている（**民訴259Ⅵ→76本文**）。したがって，民事訴訟における当事者が供託する方法により仮執行免脱の担保を立てる場合には，有価証券を供託物とすることが「できない」とする本肢は，誤っている。

エ　誤り。払渡請求権について差押え等がされている場合には，差押えの効力により第三債務者（供託所）は，弁済を禁止されている（民執145Ⅰ）ので，先例（**昭和36・7・19民甲1717号回答**）は「供託物取戻請求権に対し，税金滞納処分により差押通知があった後は供託物の**差替えは認めるべきではなく**，供託者から供託物差替えのための供託がなされたときは，差替えのための供託物は，錯誤の場合に準じて取戻すことができる」としている。したがって，営業保証供託として供託した供託金の差替えは，当該供託金取戻請求権が差し押さえられている場合であっても，することが「できる」とする本肢は，誤っている。

オ　正しい。先例（**昭和39年度全国供託課長会同決議**）は，営業保証金については，担保官庁の承認がある場合でも，**第三者が供託することはできない**としている。したがって，本肢は正しい。営業保証金は，**営業者自身の信用を担保する目的**もあるからである。

以上により，正しいものは，イ及びオであるから，4が正解となる。

本問は，執行供託に関する出題である。

ア　誤り。金銭債権が差し押さえられた場合において，第三債務者が差押金額に相当する金銭を供託するときは，「**差押えに係る金銭債権の債務の履行地**」の供託所にしなければならないとされている（**民執156Ⅰ**）。したがって，「債務者の住所地」の供託所にしなければならないとする本肢は，誤っている。

イ　誤り。第三債務者が，債権全額を義務供託として供託する場合のように，供託のすべてが執行供託としての性質を有するときは，供託書に被供託者を記載することを要しないが，「金銭債権の一部を差し押さえられたことを原因としてその債権の全額に相当する金銭を供託するとき」は，**残部については弁済供託の性質を有する**ことから，供託書には被供託者として「**執行債務者の氏名又は名称及び住所**」を記載しなければならないとされている（**昭和55・9・6民四5333号通達・記載例（二）参照**）。したがって，「差押債権者」の氏名又は名称及び住所を記載しなければならないとする本肢は，誤っている。

ウ　誤り。金銭債権が差し押さえられた場合において，第三債務者が差押金額に相当する金銭を供託したとき（**民執156Ⅰ**）も，その事情を執行裁判所に届け出なければならないのは，供託官ではなく，「**第三債務者**」とされている（**民執156Ⅳ**）。したがって，本肢は誤っている。

エ　正しい。金銭債権の一部に対して差押えがされ，第三債務者が「当該金銭債権の全額に相当する金銭」を供託しているとき（**民執156Ⅰ**）は，執行債務者は，「**当該差押えに係る金額を超える部分**」については，供託を受諾して，**還付請求をすることができる**とされている（**昭和55・9・6民四5333号通達・第二・四・1・（一）・（4）**）。当該差押えに係る金額を超える部分については，弁済供託としての性質を有するからである。したがって，本肢は正しい。

オ　正しい。金銭債権について「**滞納処分による差押えのみ**」がされたとしても，第三債務者は，その差押えを原因として供託することは認められていない。なぜなら，健全な国家財政を維持する趣旨から，国税は原則としてすべての公課その他の債権に先立って徴収され（**国徴8**），滞納処分による差押えがされている部分については，徴収職員が直接取立てをすることができるので（**国徴67Ⅰ**），この場合には，**第三債務者は直接取立てに来た徴収職員に支払うことで免責されるため，供託を認める必要はない**からである。したがって，金銭債権に対して「滞納処分による差押えのみ」がされた場合には，第三債務者は，差押金額に相当する金銭を供託することが「できない」とする本肢は，正しい。

以上により，正しいものは，**エ及びオ**であるから，**5** が正解となる。

> **本問は，供託物払渡請求権の消滅時効に関する出題である。**

ア　誤り。 債権者の「受領拒絶」を原因とする弁済供託の場合（民494Ⅰ①）は，供託の基礎となった事実関係をめぐって紛争が存在するので，被供託者が直ちに還付請求権を行使することは期待し難い。そこで，先例（**昭和45・9・25民甲4112号通達**）は，債権者の受領拒絶を原因とする弁済供託における払渡請求権の「権利を行使することができる時から10年」の消滅時効（民166Ⅰ②）は，**供託の基礎となった事実関係をめぐる紛争が解決するなどにより，「被供託者において供託金還付請求権の行使を現実に期待することができることとなった時点」**から進行すると解している。したがって，受領拒絶を原因とする弁済供託における供託物還付請求権は，「被供託者に供託の通知が到達した時」（民495Ⅲ）から10年間行使しない場合には，時効によって消滅するとする本肢は，誤っている。

イ　正しい。 先例（**昭和36・1・11民甲62号回答**）は，弁済供託につき，**被供託者から提出された「供託受諾書」（供託規47）を供託所が受け取ったのみでは，還付請求権の消滅時効は更新されない**としている。供託受諾書が提出されただけでは，供託所による「権利の承認」（**民152Ⅰ**）があったとはいえないからである。したがって，弁済供託の被供託者から供託所に対し，供託を受諾する旨を記載した書面が提出された場合であっても，供託物還付請求権の消滅時効の更新の「効力を生じない」とする本肢は，正しい。

ウ　誤り。 先例（**昭和35・8・26民甲2132号回答**）は，**取戻請求権と還付請求権はそれぞれ別個独立の権利であるから，還付請求権の時効が更新されても，取戻請求権の時効には影響を及ぼさない**としている。したがって，供託物取戻請求権の消滅時効の更新の効力が生じた場合には，同一の供託に係る供託物還付請求権の消滅時効は，「その時から新たに進行する」とする本肢は，誤っている。

エ　正しい。 先例（**昭和39・11・21民甲3752号認可**）は，「一括」して弁済供託された供託金の「一部」が払い渡されたときは，**権利の承認（民152Ⅰ）として，「残額」について消滅時効が更新される**としている。したがって，家賃の5か月分につき一括してされた弁済供託の1か月分の供託金について取戻請求があり，これが払い渡された場合には，他の4か月分の供託金取戻請求権の消滅時効は，その時から新たに進行するとする本肢は，正しい。

オ　誤り。 先例（**昭和39・10・3民甲3198号回答**）は，弁済供託の供託者の請求により当該弁済供託に関する書類の全部が「閲覧」に供された場合（供託規48）には，**権利の承認（民152Ⅰ）に該当し，供託金取戻請求権の消滅時効は更新される**としている。したがって，供託者の請求により当該供託に関する書類の全部が閲覧に供された場合で

あっても，供託物取戻請求権の消滅時効の「更新の効力を生じない」とする本肢は，誤っている。

以上により，正しいものは，**イ及びエ**であるから，**3**が正解となる。

不動産登記法

> **本問は，主登記によってする登記に関する出題である。**

ア　「**付記登記**」**によってする**。「共有根抵当権の優先の定め（民398の14Ⅰただし書）
の登記」（不登88Ⅱ④）は，根抵当権の変更の登記として位置づけられるが，一つの根
抵当権についての共有者間の権利関係を調整するものであり，共有者以外の第三者との
関係では，利害関係を生じることはないので，当該優先の定めの登記は，「変更の登記」
ではある（不登66）が，「**常に付記登記**」することとされている（**不登規3②ニ**，平
成21年通達記録例495）。

イ　「**主登記**」**によってする**。「敷地権である旨の登記」（不登46，不登規119）は，敷地
利用権が所有権であると地上権又は**賃借権**であるとを**問わず**，常に「**主登記**」によって
なされる（**昭和58・11・10民三6400号通達・第四・一・1**，平成21年通達記録例120，
126）。対抗力や順位の問題が生じないからである。

ウ　「**付記登記**」**によってする**。根抵当権者の相続による合意（民398の8Ⅰ）の登記は，
常に付記登記によってするとされている（**不登規3②ロ**，平成21年通達記録例484）。

エ　「**付記登記**」**によってする**。不動産登記法第105条第2号の規定により仮登記された
所有権移転請求権の移転の登記は，「**付記登記**」による本登記をもってするとされてい
る（平成21年通達記録例561）。

オ　「**主登記**」**によってする**。抵当権の順位変更の登記には，不動産登記法第66条の適用
はなく，常に「**主登記**」によってするとされている（**昭和46・10・4民甲3230号通達・
第一・三**，平成21年通達記録例415）。権利関係を明確に公示するには，主登記の方が
簡便で好ましいからである。

　　以上により，主登記によってする登記は，**イ及びオ**であるから，**3**が正解となる。

> **本問は，登記の申請人に関する出題である。**

ア　**正しい**。権利が「人の死亡」によって消滅する旨の登記（不登59⑤）がされている
場合において，当該権利がその死亡によって消滅したときは，不動産登記法第60条の
規定にかかわらず，「**登記権利者**」は，「**単独で**」，「人の死亡を証する市町村長その他の
公務員が職務上作成した情報」を登記原因証明情報として提供して（不登令別表

午後の部　解説

二十六・添イ），当該権利に係る権利に関する登記の「**抹消**」を申請することができるとされている（**不登69**）。したがって，Ａを所有権の登記名義人とする甲土地に，Ｂを抵当権者とする抵当権の設定の登記がされており，当該抵当権の設定の登記についてＢが死亡した時に抵当権は消滅するとの定めの登記がされている場合において，その後，Ｂが死亡し，当該抵当権が消滅したときは，「Ａ」は，単独で，当該抵当権の設定の登記の抹消を申請することができるとする本肢は，正しい。

イ　誤り。債務者が破産手続開始の決定を受けた場合の元本確定（**民398の20Ⅰ④**）の登記は，根抵当権の取得の登記の申請と併せ申請する場合は，「**根抵当権の登記名義人**」が単独で申請することができるとされている（**不登93本文**）。したがって，Ａを根抵当権者とする元本確定前の根抵当権の債務者Ｂが破産手続開始の決定を受けた場合において，Ｃが当該根抵当権の被担保債権を代位弁済したときは，当該根抵当権の移転の登記の申請と併せて当該根抵当権の元本の確定の登記を「Ａ」は単独で申請することができるが，Ｃは単独では申請できないので，本肢は誤っている。なお，Ｃは，Ａを「代位」して申請することはできるが，本問では代位による登記については考慮しないものとするとされている。

ウ　誤り。遺贈による所有権移転の登記については，その遺贈が，特定遺贈の場合であっても，受遺者が相続人と同一の権利義務を有する包括遺贈（**民990**）の場合であっても，受遺者を登記権利者，遺言者の相続人又は遺言執行者を登記義務者とする共同申請によるのを原則とする（**昭和33・4・28民甲779号通達**）。もっとも，令和5年4月1日施行の改正により，従前からある「相続又は法人の合併による権利の移転の登記は，登記権利者が単独で申請することができる。」との規定（**不登63Ⅱ**）に「遺贈（**相続人に対する遺贈に限る。**）による**所有権の移転の登記**は，第60条の規定にかかわらず，**登記権利者が単独で申請することができる。**」との規定（**不登63Ⅲ**）が追加され，遺贈による権利移転の登記についても，それが「相続人」を受遺者とする「所有権」を移転する遺贈である場合には，受遺者の単独申請が認められた。しかし，本肢の受遺者であるＢはＡの相続人であるが，申請する登記は「地上権」の移転登記であるので，本肢の事例には当該規定は適用されない。したがって，Ａを登記名義人とする地上権の設定の登記がされている甲土地について，Ａが当該地上権をＡの相続人であるＢに遺贈する旨の遺言書を作成した場合において，その後，Ａが死亡したときは，Ｂは，「単独で」，遺贈を登記原因とするＡからＢへの「地上権の移転の登記」を申請することが「できる」とする本肢は，誤っている。

エ　誤り。受託者が2人以上ある場合において，そのうち少なくとも1人の受託者の任務が，「**受託者の死亡，後見開始若しくは保佐開始の審判，破産手続開始の決定，法人の合併以外の理由による解散又は裁判所若しくは主務官庁の解任命令**」により終了したとき（**不登100Ⅰ**）は，信託財産に属する不動産についてする「当該受託者の任務の終了

による権利の変更の登記」は，「他の受託者」が単独で申請することができるとされている（**不登100Ⅱ**）が，受託者の「辞任」による権利の変更の登記には，**不動産登記法第100条第2項は適用されない**ので，「共同申請」で申請しなければならない（**不登60**）。したがって，Aを委託者とし，B及びCを受託者とする所有権の移転の登記及び信託の登記がされている甲土地について，Bが受託者を「辞任」し，その任務が終了した場合には，Cは，「単独で」，Bの任務の終了による権利の変更の登記を申請することが「できる」とする本肢は，誤っている。

オ　**正しい**。「公正証書」は，請求の目的が「金銭の一定の額の支払又はその他の代替物もしくは有価証券の一定の数量の給付」であるときは執行力を有する（**民執22⑤**）が，それ以外の本肢のような「登記の申請手続」についてのものであるときは執行力を有しないので，不動産登記法第63条第1項の「判決」には含まれず，これに基づき登記権利者等が単独で登記を申請することはできないとされている（**明治35・7・1民刑637号回答**）。したがって，Aを所有権の登記名義人とする甲土地について，売買を登記原因とするAからBへの所有権の移転の登記手続を行う旨の「公正証書」が作成された場合には，Bは，当該公正証書を添付情報として提供したとしても，「単独で」，甲土地についてAからBへの所有権の移転の登記を申請することは「できない」とする本肢は，正しい。

以上により，正しいものは，**ア及びオ**であるから，**2**が正解となる。

第14問　　正解▶　5　　難易度★☆☆

本問は，代位による登記に関する出題である。

ア　**誤り**。不動産登記令第7条第1項第3号の規定において要求される「代位原因を証する情報」とは，**登記官が代位債権者と代位債務者との間の債権の存在を確認することができるものであれば足りる**ので，公正証書に限られず，「私署証書」であってもよいとされている（**昭和23・9・21民甲3010号通達**）。例えば，「売買契約書等」がこれに該当する。したがって，Aが所有権の登記名義人である甲不動産について，AからBへ，BからCへと順次売買がされたが，Bが所有権の移転の登記の申請に協力しない場合において，CがBに代位してAと共同してAからBへの所有権の移転の登記の申請をするときに提供すべき代位原因を証する情報は，「BからCへの所有権の移転の登記手続を命ずる旨の確定判決の正本」でなければならないとする本肢は，誤っている。

イ　**誤り**。単独申請による登記は債権者が単独で代位申請できるが，共同申請によるべき登記については，債権者と登記義務者との共同申請によらなければならず，**債務者が登記義務者である共同申請による登記を債権者たる登記権利者が登記義務者に代位して申**

請することは原則としてできないとされている（大正4・11・6民1701号回答）。なぜなら，登記義務者に代位して登記を申請することを認めると，登記義務者の関与しない申請となってしまい，共同申請の原則（不登60）や判決による登記（不登63Ⅰ）の趣旨が潜脱され，自力救済を容認したのと同様の結果となってしまい妥当でないからである。したがって，Aが所有権の登記名義人である甲不動産について，Bを抵当権者とし，Cを債務者とする抵当権の設定の登記がされている場合において，「Cの住所に変更が生じたとき」は，Bは，Aに代位して，単独で，Cの債務者の住所の変更の登記を申請することはできないので（昭和36・8・30民三717号回答），「できる」とする本肢は，誤っている。

ウ　**正しい。** 抵当権の実行による競売開始決定に基づく差押えの登記がされている不動産について，抵当権者が所有権の登記名義人に代位して買戻権者と共同でする買戻の特約の登記の抹消の申請は受理して差し支えないとされている（平成8・7・29民三1368号通知）。本問の場合，抵当権者が代位の基礎となる被保全債権を有しているかどうかが問題となるが，執行実務の取扱いでは，買戻しの特約の登記が抹消されるまでの間，競売手続が事実上停止されるので，差押えの登記の後においては，抵当権者の債権保全のために，買戻しの特約の登記の抹消が必要となるからである。なお，既登記抵当権者がその抵当物件の所有者に代位して登記を申請する場合など，代位資格の存在が登記記録上明らかなときは，代位原因を証する情報（不登令7Ⅰ③）の提供を要しないとされている（**昭和35・9・30民甲2480号回答**）。したがって，売買を原因とするAからBへの所有権の移転の登記と同時にした買戻しの特約の登記がされている甲不動産について，その後，Cを抵当権者とする抵当権の設定の登記がされ，「当該抵当権の担保不動産競売開始決定に基づく差押えの登記がされた場合」において，CがBに代位してAと共同して買戻しの特約の登記の抹消を申請するときは，「代位原因を証する情報」の「提供を要しない」とする本肢は，正しい。

エ　**正しい。** 登記官は，登記の申請に基づいて登記を完了したときは，「申請人」に対し，登記完了証を交付することにより，**登記が完了した旨を通知**しなければならないとされているから（**不登規181Ⅰ前段**），代位による登記がなされたときは，実際に登記を申請した「債権者（代位者）」に対して登記が完了した旨の通知がなされる。また，登記官は，民法第423条その他の法令の規定により他人に代わってする申請に基づく登記を完了した場合には，「当該他人」に対し，**登記が完了した旨を通知**しなければならないとされているから（**不登規183Ⅰ②**），「債務者（被代位者）」に対しても登記が完了した旨が通知される。したがって，Aが所有権の登記名義人である甲不動産について，Aが死亡し，その相続人がBである場合において，Bの債権者であるCが，Bに代位して相続を原因とするAからBへの所有権の移転の登記を申請し，当該登記が完了したときは，登記官は，「B及びC」に対して「登記が完了した旨を通知」しなければな

らないとする本肢は，正しい。

オ　**誤り**。代位による登記の申請がなされた場合は，代位者にも被代位者にも「登記識別情報」は**通知されない**。登記識別情報は，**申請人自らが登記名義人となる登記**が完了したときに通知されるものであるところ（不登21本文），申請人である代位債権者は登記名義人（不登2⑪）として登記記録に記録されるわけではないし，債務者（被代位者）は登記名義人として登記記録に記録される場合でも申請行為をしていないからである。したがって，Ａが所有権の登記名義人である甲不動産について，Ａが死亡し，その相続人がＢである場合において，Ｂの債権者であるＣが，Ｂに代位して相続を原因とするＡからＢへの所有権の移転の登記を申請し，当該登記が完了したときは，「Ｃに対して」登記識別情報が「通知される」とする本肢は，誤っている。
以上により，正しいものは，ウ及びエであるから，**5**が正解となる。

第15問　　**正解▶　4**　　**難易度★★☆**

> **本問は，不動産登記の申請の却下又は取下げに関する出題である。**

ア　**誤り**。再使用証明（登録税31Ⅲ前段）を受けた領収証書等が貼付されていた登記の申請人と，それを使用してする登記の申請人とは，必ずしも同一人である必要はなく，**先の申請人と新登記の申請人とのいずれか一方が複数で，そのうちの「1人が共通している場合」**であれば，その「**全額**」につき再使用することが認められている（昭和36・2・6民甲357号回答）。したがって，「Ａ1名」を申請人とする登記の申請の取下げの際に再使用証明を受けた領収証書等をＡ及び「Ｂ」の2名を申請人とする登記の申請について使用することも**できる**ので，申請代理人が甲土地の所有権の移転の登記の申請を取り下げて，当該申請の際に納付した印紙の再使用証明を受けた場合には，当該申請代理人は，「当該申請の申請人以外の者を申請人」とする甲土地と同一の登記所の管轄区域内にある乙土地の所有権の移転の登記の申請のために，当該印紙を使用することは「できない」と言い切っている本肢は，誤っている。

イ　**誤り**。登記の申請の「取下げ」は，「書面申請」の場合には，申請を取り下げる旨の情報を記載した「書面」を登記所に提出する方法による（不登規39Ⅰ②）が，「電子申請」の場合には，**「法務大臣の定めるところにより，電子情報処理組織を使用して申請を取り下げる旨の情報を登記所に提供する方法」**によってしなければならないとされている（不登規39Ⅰ①）。したがって，法務大臣の定めるところにより電子情報処理組織を使用する方法により登記の申請をした場合において，当該申請を取り下げるときは，「当該申請を取り下げる旨の情報を記載した書面」を登記所に提出する方法によることが「できる」とする本肢は，誤っている。

ウ　**正しい**。「承役地の所有者は，承役地の浸冠水その他の影響について一切異議求償等を申し立てないものとする」旨の特約は，登記することができないとされている（昭和36・9・15民甲2324号回答）。したがって，「承役地の所有者は承役地の浸冠水その他の影響について一切異議求償等を申立てない」旨の特約を申請情報として地役権の設定の登記を申請した場合には，当該申請は「却下」される（不登25②）とする本肢は，正しい。

エ　**正しい**。登記官は，書面申請がされた場合において，申請を却下したときは，「**添付書面**」を還付するものとするとされている（**不登規38Ⅲ本文**）が，「**申請書**」は還付されない。したがって，本肢は正しい。

オ　**誤り**。事前通知に対する申出の期間は，原則として，通知を「**発送した日**」から「**2週間**」である（不登規70Ⅷ本文）が，登記義務者が「**外国に住所を有する場合**」は，この期間が「**4週間**」に伸張されている（**不登規70Ⅷただし書**）。申出期間の起算日を登記義務者に到達した（受け取った）日とはしていないのは，到達日を起算日とすると，事前通知は本人限定受取郵便によるので，登記官が起算日を判断できず，申請されている登記事務処理に停滞を来すからである。したがって，「外国に住所」を有する登記義務者が登記識別情報を提供することができないために事前通知による手続を利用して登記の申請をする場合において，登記官が事前通知を「発送した日」から「2週間内」に当該登記義務者から申請の内容が真実である旨の申出がされなかったときは，当該申請は却下される（不登25⑩）とする本肢は，申出期間を4週間ではなく「2週間」としている点が，誤っている。

以上により，正しいものは，**ウ及びエ**であるから，**4**が正解となる。

第16問　　正解▶　**4**　　難易度★☆☆

> **本問は，登記原因証明情報に関する出題である。**

ア　**誤り**。法令又は契約により一定の期間を経過した後に建物を取り壊すべきことが明らかな場合において，その建物の賃貸借をするときは，存続期間の定めとは別に，建物を取り壊すこととなる時に賃貸借が終了する旨の特約をすることができる（借地借家39Ⅰ）が，この特約は，**建物を取り壊すべき事由を記載した「書面」**又は電磁的記録によってしなければならないとされている（**借地借家39Ⅱ・Ⅲ**）。しかし，「**公正証書**」でしなければならないとされているわけではない。したがって，この取り壊し予定建物の賃借権設定の登記の申請をする場合は，登記原因証明情報が執行力のある確定判決の判決書の正本である場合を除き，賃貸借契約を証する情報及びその建物を取り壊すべき事由を記載した「書面」又は電磁的記録を登記原因証明情報として提供しなければなら

ない（**不登令別表三十八・添ニ，平成 4・7・7 民三3930号通達・第四・二・（2）**）が，
「公正証書の謄本」を登記原因証明情報として提供しなければならないとする本肢は，
誤っている。

イ　**誤り**。A が，B に甲土地を遺贈する旨の自筆証書による遺言を作成し，その遺言書
が遺言書保管所に保管されている場合において，A が死亡し，B が当該遺言書に基づ
いて甲土地について A から B への所有権の移転の登記を申請するときは，当該申請の
登記原因証明情報のうち「A の死亡を証する情報」として，「遺言書情報証明書」（遺
言書保管10 I）を提供することはできない（遺言書保管 4 IV参照）ので，「できる」と
する本肢は，誤っている。

ウ　**正しい**。買戻しの特約に関する登記の抹消につき，令和 5 年 4 月 1 日施行の改正によ
り，「買戻しの特約に関する登記がされている場合において，契約の日から10年を経過
したとき（民580 I・II参照）は，第60条の規定にかかわらず，登記権利者は，単独
で当該登記の抹消を申請することができる。」との規定（**不登69の 2**）が追加されたこ
とに伴い，登記原因証明情報の提供を要しない場合につき，「法第69条の 2 の規定によ
り買戻しの特約に関する登記の抹消を申請する場合」との規定（**不登令 7 III①**）が追加
された。したがって，売買を原因とする A から B への所有権の移転の登記と同時にし
た買戻しの特約の登記がされている甲不動産について，「買戻しの特約が付された売買
契約の日から10年を経過」したことにより，B が単独で当該買戻しの特約の登記の抹
消を申請する場合には，登記原因証明情報を提供することを「要しない」とする本肢は，
正しい。

エ　**正しい**。仮登記を命ずる処分（**不登108**）に基づき仮登記の登記権利者が単独で仮登
記を申請する場合（**不登107 I 後段**）は，登記原因証明情報として「**当該仮登記を命ず
る処分の決定書の正本**」を提供しなければならないとされている（**不登令 7 I ⑤ロ(2)**）。
したがって，A を所有権の登記名義人とする甲土地について，A から B への所有権の
移転の仮登記を命ずる処分の決定がされた場合において，B が「単独で」当該決定に
基づいて当該仮登記の申請をするときは，登記原因証明情報として，「当該仮登記を命
ずる処分の決定書の正本」を提供しなければならないとする本肢は，正しい。

オ　**誤り**。配偶者居住権の設定の登記を申請する場合の登記原因証明情報については，
「配偶者居住権が成立するためには，配偶者が被相続人所有の建物に相続開始の時に居
住していたことを要するところ（民1028 I），当該要件に係る登記原因を証する情報
（以下「登記原因証明情報」という。）としては，必ずしも当該配偶者の住民票の写し等
の提供を要せず，提供された登記原因証明情報中にその旨が明らかになっていれば，こ
れによって差し支えない。また，配偶者居住権を取得することができる配偶者は，**相続
開始の時に法律上被相続人と婚姻をしていた者に限られる**ところ，当該要件に係る登記
原因証明情報としては，**必ずしも被相続人の住民票の除票の写し等の提供を要せず，提**

供された登記原因証明情報中にその旨が明らかになっていれば，これによって差し支えない。」との先例（**令和2・3・30民二324号通達・3・二・(1)・イ・(ア)**）が出されている。したがって，Aを所有権の登記名義人とする甲建物について，Aの配偶者であるBが，Aが死亡した後，甲建物に配偶者居住権の設定の登記を申請する場合には，登記原因証明情報として，「A及びBが婚姻していたことを証する市町村長が職務上作成した情報」を提供しなければならないとする本肢は，誤っている。

以上により，正しいものは，**ウ及びエ**であるから，**4**が正解となる。

第17問　　正解▶　**1**　　難易度★☆☆

> **本問は，書面申請における印鑑に関する証明書の添付に関する出題である。**

ア　誤り。書面申請の場合は，「申請を取り下げる旨の情報を記載した書面」を登記所に提出する方法（**不登規39Ⅰ②**）によってしなければならないとされているが，当該書面に「印鑑証明書」を添付しなければならないとの規定は置かれていない。したがって，Aが所有権の登記名義人である甲土地について，AからBへの所有権の移転の登記が申請されている場合において，当該登記が完了する前に当事者の登記申請意思の撤回を理由として当該申請を取り下げるときは，当該申請を取り下げる旨の情報を記載した書面にA及びBの「印鑑に関する証明書」を添付することを「要する」とする本肢は，誤っている。

イ　正しい。根抵当権及び根質権を除く「担保権」の「債務者」の変更の登記の申請情報には，所有権登記名義人が「登記識別情報を提供して」申請する場合には，印鑑証明書の添付は要しないとされている（**不登規47③イ(1)かっこ書**）。根抵当権及び根質権を除く担保権は特定の債権を担保するものであり，変更登記をしても所有権登記名義人に不利益を与えるものではないからである。したがって，Aが所有権の登記名義人である甲土地について，Bを質権者とし，Aを債務者とする「質権」の設定の登記がされている場合において，CがAの債務を免責的に引き受けたことにより当該質権の債務者の変更の登記を申請するときは，Aの印鑑に関する証明書を添付することを「要しない」とする本肢は，正しい。なお，本問においては，いずれの申請においても必要な登記識別情報は提供されているものとするとされている。

ウ　誤り。Aが所有権の登記名義人である甲土地について，Aが単独で甲土地を自己信託の対象とする方法によってされた信託による権利の変更の登記を申請する場合（**不登98Ⅲ**）には，登記識別情報を提供するほか（**不登令8Ⅰ⑧**），Aの「印鑑に関する証明書」も添付しなければならないとされている（**不登規47③イ(4)**）。したがって，添付することを「要しない」とする本肢は，誤っている。

エ　**正しい**。共有物分割禁止の定めに係る権利の変更の登記は，共有者全員が分割できない不利益と分割請求を拒絶できる利益の両方の面を併せ有しているので，「登記権利者兼登記義務者」として申請する（不登65）が，登記識別情報（不登令8Ⅰ④）及び**印鑑証明書（不登規47③イ(2)）**を添付しなければならないとされている。したがって，A及びBが「所有権の登記名義人」である甲土地について，共有物分割禁止の定めに係る権利の変更の登記を申請する場合には，A及びBの印鑑に関する証明書を添付することを「要する」とする本肢は，正しい。

オ　**正しい**。所有権の移転の登記がない場合における所有権の登記の抹消は，所有権の登記名義人が単独で申請する（不登77）が，登記識別情報（不登令8Ⅰ⑤）及び**印鑑証明書（不登規47③イ(3)）**を添付しなければならないとされている。したがって，Aが登記名義人である所有権の保存の登記がされているが，所有権の移転の登記がされていない甲建物について，Aが単独で当該所有権の保存の登記の抹消を申請する場合には，Aの印鑑に関する証明書を添付することを「要する」とする本肢は，正しい。

以上により，誤っているものは，**ア**及び**ウ**であるから，**1**が正解となる。

<hr>

| 第18問 | 正解▶　**4**　　難易度★☆☆ |

> **本問は，登記名義人の名称又は住所の変更の登記に関する出題である。**

ア　**正しい**。抵当権など「**所有権以外の権利**」の登記の「**抹消**」を申請する場合には，「**登記義務者**」である登記名義人の住所に変更が生じているときは，その変更を証する情報を提供すれば，登記名義人の住所の変更の登記の申請を便宜省略することができるとされている（昭和31・9・20民甲2202号通達）が，抵当権など「所有権以外の権利」の抹消登記であっても，「**登記権利者**」については，原則どおり，**登記名義人の住所の変更の登記を申請する必要がある**とされている（登記研究520号）。したがって，所有権の登記名義人が「地上権の設定の登記の抹消」の申請をする場合において，住所の変更により当該所有権の登記名義人の現在の住所と登記記録上の住所とが異なるときは，当該申請をする前提として，「当該所有権の登記名義人」の住所の変更の登記を「申請しなければならない」とする本肢は，正しい。

イ　**正しい**。仮差押えの登記等の処分の制限の登記の登記名義人の住所や氏名について変更があった場合も，仮差押登記等の処分の制限の登記の登記名義人から，登記名義人の氏名等の変更の登記の「申請」をすることができるとされている（昭和42・6・19民甲1787号回答）。したがって，仮差押えの登記がされた不動産について，当該仮差押えが本執行に移行してされる強制競売の申立てがされる前に仮差押債権者であるAの住所の変更があった場合には，「A」は，当該不動産の仮差押債権者の住所の変更の登記

を「申請することができる」とする本肢は，正しい。

ウ　**誤り**。会社法等の施行に伴い特例有限会社となった不動産の登記名義人が，その商号を変更することにより通常の株式会社に移行した場合（整備45，46）には，当該不動産について，「**商号変更**」を登記原因とする「**登記名義人の名称の変更の登記**」を申請すれば足りるとされている（登記研究700号129頁）。したがって，甲不動産の所有権の登記名義人である特例有限会社が株式会社へ移行した場合には，甲不動産についてする所有権の登記名義人の名称の変更の登記の登記原因は，「組織変更」であるとする本肢は，誤っている。

エ　**誤り**。和解調書に基づき登記権利者が単独で所有権移転の登記を申請する場合において，その和解調書に登記義務者の表示として登記記録上の住所と現在の住所とが併記されているときでも，前提としての登記名義人の住所の変更・更正の登記を省略することはできないとされている（登記研究476号140頁）。その理由は，判決による登記は単独申請による登記ではある（不登63Ⅰ）が，その申請情報として登記義務者の氏名等を提供しなければならないとされているので（不登令3⑪イ），申請の却下事由である「申請情報の内容である登記義務者の氏名若しくは名称又は住所が登記記録と合致しないとき」（不登25⑦）に該当するからである。したがって，Aを所有権の登記名義人とする甲土地について，AがBに対して甲土地の所有権移転登記手続をする旨の和解調書の正本を提供して，AからBへの所有権の移転の登記の申請をする場合において，住所の変更によりAの現在の住所と登記記録上の住所とが異なるときであっても，「当該和解調書の当事者の表示にAの変更後の住所と登記記録上の住所とが併記されているとき」は，Bは，当該申請をする前提として，Aの住所の変更の登記を「申請することを要しない」とする本肢は，誤っている。

オ　**正しい**。破産管財人が，裁判所の許可を得て破産者所有の不動産を売却し，その所有権移転の登記を申請する場合は，登記義務者（破産者）の登記識別情報を提供することを要しない（昭和34・5・12民甲929号通達）が，その登記義務者の住所に変更があるときは，「破産管財人」から，前提として，その登記名義人（破産者）の住所の変更の登記を「申請しなければならない」とされている（登記研究454号133頁）。したがって，Aを所有権の登記名義人とする甲土地について，Aの「破産管財人B」が甲土地を任意売却し，所有権の移転の登記を申請する場合において，住所の変更によりAの現在の住所と登記記録上の住所とが異なるときは，「B」は，当該申請をする前提として，Aの住所の変更の登記を「申請しなければならない」とする本肢は，正しい。

以上により，誤っているものは，**ウ及びエ**であるから，**4**が正解となる。

本問は，所有権の移転の登記に関する出題である。

ア　**誤り**。共同相続人のうちの一部の者が，「相続人全員」のために相続の登記をすることはできるが，「**自己の持分のみ**」について相続の登記をすることはできないとされている（**昭和30・10・15民甲2216号回答**）。これを認めると，被相続人と相続人の共有名義となる登記が作出されるが，包括承継である相続（民896）によって被相続人の所有権の一部が相続人に帰属することは実体上あり得ず，不動産登記の公示として妥当でないからである。したがって，甲土地の所有権の登記名義人であるＡが死亡し，その相続人がＢ及びＣである場合において，遺産分割協議によりＢ及びＣが各2分の1の持分の割合で甲土地を取得したときは，ＡからＢへの相続を原因とする「所有権の一部移転の登記」と，ＡからＣへの相続を原因とする「Ａの共有持分の全部移転の登記」とは，それぞれの「登記の前後を明らかにして」同時に申請することが「できる」とする本肢は，誤っている。

イ　**誤り**。第三者対抗力を有していない吸収合併に伴う物権変動を登記することは妥当ではないので（会750Ⅱ），吸収合併による承継を登記原因とする権利の移転の登記の申請においては，合併の記載がある吸収合併「**存続会社の登記事項証明書**」を，登記原因を証する情報として，申請情報と併せて提供しなければならず，「合併契約書」（会749Ⅰ⑥）のみをもって登記原因証明情報とすることはできないとされている（**平成18・3・29民二755号通達・一・(2)**）。したがって，甲土地の所有権の登記名義人である株式会社Ａを吸収合併消滅会社とし，株式会社Ｂを吸収合併存続会社とする吸収合併がされた場合において，甲土地について合併を原因とする所有権の移転の登記の申請をするときは，登記原因証明情報として，合併の記載のある「Ａ」の登記事項証明書を提供しなければならないとする本肢は，誤っている。

ウ　**正しい**。**保佐人又はその代表する者と被保佐人との利益が相反する行為**については，**保佐監督人がある場合**（民876の3Ⅱ→851④）を除き，保佐人は，「臨時保佐人」の選任を家庭裁判所に請求しなければならないとされている（**民876の2Ⅲ**）。したがって，Ａに保佐人Ｂ及び「保佐監督人Ｃ」が選任されている場合において，「Ｂ」がその所有する甲不動産を被保佐人Ａに売却したときは，Ａ及びＢは，ＡＢ間の甲不動産の売買について「Ｃの同意を証する情報」を提供して，ＢからＡへの売買を原因とする所有権の移転の登記の申請をすることができるとする本肢は，正しい。

エ　**正しい**。死因贈与契約おいて執行者が指定されているときは（民554→1006Ⅰ），その執行者が受贈者と共同して死因贈与契約に基づく所有権の移転の登記を申請することができる（登記研究447号83頁）が，この場合に提供する執行者の権限を証する情報

（不登令７Ⅰ②）については，死因贈与契約書が私署証書のときと，公正証書のときで，違いが生ずる。死因贈与契約書が「公正証書の場合」は，当該公正証書を添付すれば足りるが，「私署証書の場合」は，当該私署証書に押印した贈与者の印鑑に関する証明書を添付するか，「又は」，贈与者の相続人全員の印鑑に関する証明書付き承諾書を添付する必要があるとされている（登記研究566号131頁）。したがって，Ａを所有権の登記名義人とする甲不動産について，ＡがＢに死因贈与をし，その執行者としてＣを指定する旨の合意が「公正証書でない書面」によってされた場合において，Ａが死亡し，Ｃが死因贈与を原因とするＡからＢへの所有権の移転の登記を申請するときは，代理権限を証する情報の一部として，「当該書面に押印されたＡの印鑑に関する証明書又はＡの相続人全員の承諾書に押された印鑑に関する証明書」を提供しなければならないとする本肢は，正しい。

オ **誤り**。不在者の財産管理人は，家庭裁判所の許可（民28前段）を得て，不在者のための遺産分割の協議に加わることができる（昭和39・8・7民三597号回答）が，この場合添付する必要があるのは，「**不在者の財産管理人が遺産分割の協議に加わること**」に関する許可書であり，遺産分割協議の内容に対する許可書ではない。したがって，Ａを所有権の登記名義人とする甲土地について，Ａが死亡し，その相続人がＢ及びＣであるが，Ｂのために不在者の財産の管理人Ｄが選任されている場合において，ＣＤ間の遺産分割協議により，Ｃが単独で甲土地の所有権を取得し，遺産分割を原因とする所有権の移転の登記の申請をするときは，「**当該遺産分割協議についての**」家庭裁判所のＤに対する許可があったことを証する情報を提供しなければならないとする本肢は，誤っている。

以上により，正しいものは，**ウ及びエ**であるから，**4**が正解となる。

第20問　正解▶ 4　難易度★☆☆

> 本問は，法定相続分での相続登記がされている場合の登記手続に関する出題である。

ア **誤り**。イ **誤り**。ウ **正しい**。従前は，「共同相続による所有権の移転の登記がされた後」に遺産分割の協議が成立し，相続人の１人が相続財産中の不動産を単独で取得する旨が合意されたときは，「遺産分割の協議がされた日」を登記原因の日付，「遺産分割」を登記原因として，他の相続人の持分の全部の移転の登記を「共同申請」で申請するとされていた（昭和28・8・10民甲1392号回答）が，最近の先例（令和5・3・28民二538号通達・第三）により，法定相続分での相続登記（民法第900条及び第901条の規定により算定した相続分に応じてされた相続による所有権の移転の登記をいう。）がされている場合において，「遺産の分割の協議又は審判若しくは調停による所有権の

取得に関する登記」をするときは，登記原因を「**遺産分割**」として，**所有権の更正の登記**によることができるものとした上で，登記権利者が**単独で申請**することができるとされた。したがって，肢アの学生の解答も，肢イの学生の解答も，誤っているが，肢ウの学生の解答は正しい。

エ　正しい。この場合の所有権の更正の登記についても，登記上の利害関係を有する第三者がある場合には，当該第三者の承諾がなければ申請することができないことなどは，従前のとおりであるとされている（不登66，68等）。したがって，本肢の学生の解答は正しい。

オ　誤り。更正登記により新たに登記名義人となった申請人についても登記識別情報は，通知するとされている（不登21本文）。したがって，登記識別情報は「通知されない」とする本肢の学生の解答は，誤っている。

以上により，学生の解答のうち正しいものは，**ウ及びエ**であるから，**4**が正解となる。

第21問　　正解▶　**3**　　難易度★☆☆

> **本問は，区分建物についての登記に関する出題である。**

ア　誤り。「**敷地権の表示を登記した**」区分建物について，表題部所有者から直接所有権を取得した者が不動産登記法第74条第2項の規定により所有権保存の登記を申請する場合には，「登記原因及びその日付」が登記事項とされている（**不登76Ⅰただし書**）。これは，敷地権の表示を登記した区分建物についての不動産登記法第74条第2項の規定による所有権保存の登記は，実質的には，区分建物の所有権移転の登記であるとともに，敷地権の移転の登記たる効力を有するものであるので（**不登73Ⅰ**），その移転の原因及びその日付を明らかにする必要があるからである。しかし，「**敷地権のない**」区分建物の表題部所有者から所有権を取得した者が当該区分建物について所有権の保存の登記を申請する場合には，申請情報には登記原因及びその日付を記載することを要しないので（**不登76Ⅰ本文**），「要する」とする本肢は，誤っている。

イ　正しい。表題部所有者（原始取得者）が死亡した場合において，その死亡後に「**相続人から**」区分建物を譲り受けた者は，直接，所有権保存登記（不登74Ⅱ）を申請することはできない（改正区分建物登記詳述99頁，区分所有登記実務一問一答212頁）。原始取得者はAであり，**Cは，Aから直接，所有権を取得した者にはあたらない**からである。したがって，敷地権付き区分建物の表題部所有者Aが死亡し，その唯一の相続人であるBがCに当該区分建物を売却した場合には，「C」は，自己を登記名義人とする所有権の保存の登記を申請することは「できない」とする本肢は，正しい。

ウ　正しい。信託により委託者の財産権は受託者に移転し，それが信託財産であることを

公示するために信託の登記がされる。敷地権付き区分建物の表題部所有者Ａが委託者であるので，**受託者Ｂは，表題部所有者から直接所有権を取得した者にあたる（不登74Ⅱ）**ので，不動産登記法第74条第2項により，Ｂは，自らを受託者とする所有権保存の登記を申請することができる（登記研究646号113頁）。また，当該建物は信託財産であるから，所有権の保存の登記の申請と同時に同一の申請情報で信託の登記の申請をしなければならない（**不登98Ⅰ，不登令5Ⅱ**）が，**信託の登記も受託者の単独申請によることとされている（不登98Ⅱ**，登記研究469号142頁）。したがって，Ａが表題部所有者として記録されている所有権の登記がない敷地権付き区分建物について，当該区分建物及びその敷地権を目的として，Ａを委託者とし，Ｂを受託者とする信託契約が締結された場合には，Ｂは，一の申請情報により，自らを所有者とする所有権の保存の登記及び信託の登記を申請することができるとする本肢は，正しい。

エ　**誤り**。登記官は，共用部分である旨の登記をするときは，「職権」で，当該建物について表題部所有者の登記又は権利に関する登記を**抹消**しなければならないとされている（**不登58Ⅳ**）。したがって，敷地権付き区分建物が属する一棟の建物に共用部分である旨の登記がされた建物については，売買を原因とする当該区分建物の「**所有権の移転の登記を申請することはできない**」ので，「当該登記を申請するときは」，当該共用部分である旨の登記のされた建物の種類，構造及び床面積を申請情報の内容としなければならないとする本肢は，誤っている。

オ　**誤り**。所有権保存の登記が抹消された場合は，原則としてその登記記録の表題部は閉鎖される（昭和36・9・2民甲2163号回答，平成21年通達記録例245）が，①不動産登記法第74条第1項第1号後段の規定により「相続人名義」にされた所有権の保存の登記を抹消する場合と②**不動産登記法第74条第2項の規定により表題部所有者以外の者の名義でされた所有権保存の登記を抹消する場合**には，表題部所有者の記録を回復し，**登記記録の表題部は閉鎖されないとされている**（昭和59・2・25民三1085号通達，平成21年通達記録例246）。これらの場合には，表題部所有者の所有権が否定されたわけではないからである。したがって，「敷地権付き区分建物について，表題部所有者から所有権を取得した者」を所有者とする所有権の保存の登記がされた後に，錯誤を原因として当該所有権の保存の登記の抹消がされた場合には，登記官は，その登記記録を閉鎖しないので，「閉鎖する」とする本肢は，誤っている。

以上により，正しいものは，**イ及びウ**であるから，**3**が正解となる。

> **本問は，抵当権又は根抵当権の登記に関する出題である。**

ア　**誤り**。担保権の債務者の住所を証する情報の提供を要するとする規定は，存しない（不登令別表五十六・添参照）。したがって，Aを所有権の登記名義人とする甲土地について，Bを根抵当権者とし，「Cを債務者」とする根抵当権の設定の登記の申請をする場合には，当該申請の申請情報に記載された「Cの住所を証する情報」の提供を「要する」とする本肢は，誤っている。

イ　**誤り**。混同により抵当権が消滅したが，その「抹消登記をしないうちに第三者に所有権移転登記をしたとき」は，消滅した抵当権の抹消登記は，「**現在の所有権登記名義人**」を登記権利者，消滅した抵当権の登記名義人を登記義務者として申請するとされている（昭和30・2・4民甲226号通達）。抹消登記によって登記上直接利益を受ける（不登2⑫）のは，現在の所有権登記名義人だからである。したがって，Aを抵当権の登記名義人とする甲土地について，Aが甲土地の所有権を取得したことにより当該抵当権が混同により消滅した後，当該抵当権の設定の登記の抹消がされない間にAからBへの売買を原因とする所有権の移転の登記がされた場合には，Aは，「単独で」混同を登記原因とする当該抵当権の設定の登記の抹消の申請をすることはできないので，「申請をすることができる」とする本肢は，誤っている。

ウ　**正しい**。本肢の場合，従前は，混同によって抵当権が消滅していることが登記記録上明らかであるから，その抵当権の抹消の登記は，共同相続人の1人から申請することができると解されていた（登記研究252号67頁）が，この見解は，その後の質疑応答（登記研究814号　質疑応答7972　平成27年12月号）で，「抵当権者が抵当不動産の所有権を取得し，所有権の移転の登記後に死亡した場合には，混同による抵当権の抹消の登記の申請における登記義務者は，**当該抵当権者の相続人全員**である。なお，質疑応答4617（登記研究252号67頁）の取扱いは，変更されたものと了知願います。」と改められた。したがって，Aを抵当権の登記名義人とする甲土地について，Aが甲土地の所有権を取得したことにより当該抵当権が混同により消滅した後，当該抵当権の設定の登記の抹消がされない間にAが死亡し，その相続人がB及びCである場合において，混同を登記原因として当該抵当権の設定の登記の抹消を申請するときは，「B及びC」を登記義務者としなければならないとする本肢は，正しい。

エ　**誤り**。抵当権設定者の「死亡後」に抵当権が消滅した場合において，当該抵当権設定の登記の抹消を申請するには，**抵当権設定者について相続登記を経ることを要する**とされている（登記研究661号225頁）。抵当権設定者の死亡後に抵当権が消滅したときは，抵当権設定者の死亡時には抵当権はまだ存続しており，当該抵当権の設定登記の抹消登

午後の部　解説

記請求権は存在していないのであるから，抵当権設定者について相続登記を経ることなく相続人による申請（不登62）をするのは妥当でないからである。したがって，Ａを所有権の登記名義人とする甲土地に抵当権の設定の登記がされている場合において，「Ａが死亡した後に当該抵当権が消滅したとき」は，Ａの唯一の相続人であるＢは，当該抵当権の設定の登記の抹消の前提として，甲土地について相続を原因とする所有権の移転の登記を申請する必要があるので，「申請することを要しない」とする本肢は，誤っている。

オ **正しい**。「表示に関する登記」については，行政区画又はその名称の変更があった場合には，登記記録に記録した行政区画又はその名称について変更の登記があったものとみなすとされている（不登規92Ⅰ前段）が，当該規定は権利に関する登記には当然には適用されない。しかし，当該行政区画の変更は，「公知の事実」であることから，「**住所移転を伴わない**」行政区画の変更だけが行われた場合（例：住所が行政区画の名称の変更により「甲市**乙町**1473番地」から「甲市**丙町**1473番地」に変更された場合）には，**所有権の移転登記等の前提登記としての行政区画の変更による登記名義人の住所変更の登記を申請する必要がない**ことは，従来どおりであるとされている（登記研究748号48頁）。したがって，Ａを所有権の登記名義人とする甲土地について，Ｂを債務者とする根抵当権の設定の登記がされた後，Ｂの住所について「地番変更を伴わない行政区画の変更」がされた場合には，乙土地について甲土地と共同根抵当とする根抵当権の設定の登記の前提として，甲土地についてＢの住所の変更の登記を申請することを「要しない」とする本肢は，正しい。

以上により，正しいものは，ウ及びオであるから，5が正解となる。

第23問　　正解▶　1　　難易度★☆☆

本問は，抹消された登記の回復に関する出題である。

ア **正しい**。抹消された登記（権利に関する登記に限る。）の回復は，**登記上の利害関係を有する第三者**（当該登記の回復につき利害関係を有する抵当証券の所持人又は裏書人を含む。）がある場合には，当該第三者の承諾があるときに限り，申請することができるとされているところ（不登72），ここでいう「登記上の利害関係を有する第三者」とは，「**抹消回復の登記の申請時**」を基準として，登記を回復することによって，登記上不利益を受ける全ての第三者をいうと解されている。したがって，抹消回復に係る登記の抹消当時から登記されている登記の登記名義人であっても，登記上利害の関係を有する第三者であるとされているので（**昭和32・12・27民甲2439号回答**），Ａが所有権の登記名義人である甲土地について，Ｂによる滞納処分による差押えの登記がされ，次

いでAからCへの所有権の移転の仮登記がされた後に，当該差押えの登記が抹消され，次いで当該仮登記に基づく本登記がされた場合において，Bが，抹消された当該差押えの登記の回復の嘱託をするときは，Bは，Cの承諾を証する情報を「提供しなければならない」とする本肢は，正しい。

イ **誤り**。抹消回復登記についても，所有権登記名義人が義務者の場合には，印鑑証明書が必要とされている（**不登規47③イ(1)**）。したがって，自然人であるAからBへの所有権の移転の登記がされてBが所有権の登記名義人となった甲土地について，当該所有権の移転の登記が抹消され，その後，当該所有権の移転の登記の回復を申請する場合には，Aの印鑑に関する証明書の提供を「要しない」とする本肢は，誤っている。

ウ **正しい**。判例（**大判明治43・5・13**）は，抵当権者が，債務の弁済を受ける前に，債務者（兼設定者）との合意で，抵当権設定登記を抹消しても，**その合意が無効でない限り，抹消登記は有効**であり，回復請求は認められないとしている。抹消回復の登記は，「不適法に」なされた抹消登記を回復するものだからである。したがって，Aを抵当権者とし，Bを抵当権設定者兼債務者とする抵当権の設定の登記がされている甲土地について，Bが被担保債権の弁済をする前に，抵当権設定契約を「適法に合意解除」し，A及びBの申請により当該抵当権の設定の登記が抹消された場合には，A及びBは，抵当権の設定の登記の回復の「申請をすることはできない」とする本肢は，正しい。

エ **誤り**。抵当権設定の登記の抹消回復につき，その抵当権の抹消の登記がされた後に所有権移転の登記がされている場合の登記義務者に関し，先例（昭和57・5・7民三3291号回答）は，「**現在の所有権の登記名義人**」であって，抵当権設定者たる従前の所有権の登記名義人ではないとしている。これは，抵当権の登記が回復することによって直接不利益を被るのは現在の所有権の登記名義人だからである（不登2⑬）。したがって，Aが所有権の登記名義人であり，Bが抵当権の登記名義人である甲土地について，AB間の抵当権設定契約の解除を原因として抵当権の設定の登記の抹消がされ，その後，AからCへの所有権の移転の登記がされた場合において，当該抵当権の設定の登記の回復の申請をするときは，Bを登記権利者とし，「A」を登記義務者として当該申請をしなければならないとする本肢は，誤っている。

オ **誤り**。抹消回復の登記に関する登録免許税は，**不動産1個につき1,000円**とされている（**登録税別表第一・一・（十四）**）。したがって，債権額を1000万円とする抵当権の設定の登記を回復する登記の登録免許税の額は，「4万円」であるとする本肢は，誤っている。なお，「登記官の過誤」によって抹消された登記を回復する場合は，「非課税」とされている（登録税5⑫）。

以上により，正しいものは，**ア及びウ**であるから，**1**が正解となる。

本問は，仮登記に関する出題である。

ア　**誤り**。イ　**誤り**。「1号仮登記」の物権的移転（**平成21年通達記録例560**）又は債権
的移転の登記は，「**主登記による仮登記**」でするとされている（**昭和36・12・27民甲
1600号通達**）。したがって，「**本登記**」によってされるとする肢アも，「**付記登記**」に
よってされるとする肢イも，誤っている。

ウ　**誤り**。この場合の登記は，「**仮登記**」でなされるので（**昭和36・12・27民甲1600号
通達**），共同申請でなされるとしても「**登記識別情報**」を提供することを要しないと**さ
れている（不登107Ⅱ）。したがって，本肢は誤っている。仮登記は，本登記とは異な
り，対抗力を有せず，本登記をするための予備的な仮の登記にすぎないので，登記義務
者の登記識別情報を提供して，真実の登記義務者による申請であることを担保し，もっ
て当該登記の真正を担保することは，本登記の際にすればよく，仮登記の際には，そこ
まで要求する必要がないと解することができるからである。

エ　**正しい**。この場合の登記は，「**仮登記**」でなされるので（**昭和36・12・27民甲1600
号通達**），「**住所証明情報**」を提供する必要はない。したがって，本肢は正しい。

オ　**正しい**。売買を原因とする所有権移転の仮登記の登録免許税の額は，不動産の価額に
「**100分の10**」を乗じた額であるので（**登録税別表第一・一（十二）ロ(3)**），本肢は正し
い。

　以上により，第2欄に掲げる記述が正しいものは，**エ及びオ**であるから，**5**が正解と
なる。

本問は，処分禁止の登記に関する出題である。

ア　**正しい**。仮処分の債権者が仮処分の登記に後れる登記の抹消を単独で申請する（**不登
111Ⅰ**）場合，あらかじめその「**抹消に係る登記の名義人**」に対して抹消する旨を通知
しなければならず（**民保59Ⅰ**），添付情報として「**当該通知をしたことを証する情報**」
を提供しなければならないとされている（**不登令別表七十一・添**）。したがって，Bが
売買によりAから甲不動産の所有権を取得したが，甲不動産について，AからBへの
所有権の移転の登記が未了の間にCを仮処分の債権者とする所有権の移転の登記請求
権を保全する処分禁止の登記がされた後，Bの債権者であるDの代位によりAからB
への所有権の移転の登記がされた場合において，Cが，AからCへの所有権の移転の

登記の申請と同時に，単独で当該処分禁止の登記に後れるＢのための登記の抹消を申請するときは，その旨を「Ｂ及びＤ」に対しあらかじめ通知したことを証する情報を提供しなければならないとする本肢は，正しい。なお，若干，疑義もある（不登２⑪参照）が，代位債権者も，通知を必要とする抹消に係る登記の名義人（不登59⑦）であると解する。

イ　**誤り**。仮処分の登記に後れる登記を抹消したときは，仮処分の効力が援用されたことが登記官に明らかとなるので，登記官は，処分禁止の仮処分の登記を「職権」で抹消しなければならないとされている（**不登111Ⅲ**）。しかし，**仮処分の登記に後れる登記を抹消しないときは，登記官には，仮処分の効力が援用されたかどうか明らかではないため，処分禁止の仮処分の登記を職権で抹消することはできない**。この場合は，仮処分債権者が，保全執行裁判所書記官に対し，その処分禁止の登記の抹消の嘱託をするように申し立て，裁判所からの嘱託により抹消されることになる（民保規48Ⅰ）。したがって，甲不動産について，Ｂを仮処分の債権者とする所有権の移転の登記請求権を保全する処分禁止の登記がされた後，Ｃを登記名義人とする抵当権の設定の登記がされた場合において，Ｂが，ＡからＢへの所有権の移転の登記の申請と同時に，単独で当該抵当権の設定の登記の抹消を「申請しなかったとき」は，当該所有権の移転の登記の申請は「却下される」とする本肢は，誤っている。

ウ　**誤り**。仮処分の登記の嘱託書の登記義務者の表示（被相続人Ａの相続人Ｂ）が登記記録上の登記名義人の表示（被相続人Ａ）と異なることにより，不動産登記法第25条第7号（申請情報の内容である登記義務者の氏名若しくは名称又は住所が登記記録と合致しないとき。）に抵触するのかが問題となる。先例は，仮処分の登記の嘱託書の登記義務者の表示が，仮処分の決定正本の債務者の表示と同様になされており，その嘱託の構造が不動産登記法第62条（一般承継人による申請）の規定に基づくものであれば，その嘱託書は，不動産登記法第25条第7号に抵触するものではないとする。また，仮処分債権者Ｃは，被相続人Ａから所有権を取得したものであり，Ａの相続人Ｂから取得したものではないから，ＣはＢへの相続登記を望まないし，またＣにはそもそもＢに代位して相続の登記をする代位権も生じない以上，当該仮処分の登記の前提としてＡからＢへの相続の登記をする必要はないと解している（**昭和62・6・30民三3412号回答**）。したがって，甲不動産について，債務者の表示として「被相続人Ａ 相続人Ｂ」と記載された仮処分命令の決定書の正本を提供して所有権の移転の登記請求権を保全する処分禁止の登記が嘱託される場合には，当該処分禁止の登記の前提として，当該登記請求権の債権者であるＣは，Ｂに代位して相続を原因とするＡからＢへの所有権の移転の登記を「申請しなければならない」とする本肢は，誤っている。

エ　**正しい**。登記官は，不動産登記法第111条第1項の申請に基づいて「当該処分禁止の登記に後れる登記を抹消するとき」は，「職権」で，当該処分禁止の登記も抹消しなけ

ればならないとされている（**不登 111 Ⅲ**）。仮処分の登記に後れる登記の抹消が申請されたときは、仮処分の効力が援用されたことが登記官に明らかだからである。したがって、甲不動産について、Ｂを仮処分の債権者とする所有権の移転の登記請求権を保全する処分禁止の登記がされた後、登記官が、Ｂの申請に基づきＡからＢへの所有権の移転の登記及び「当該処分禁止の登記に後れる登記の抹消をするとき」は、職権で、当該処分禁止の登記を抹消しなければならないとする本肢は、正しい。

オ　誤り。保全命令が発せられたときには、保全の必要性が存在したが、その後の事情により保全の必要性が消滅すれば、債務者は、保全命令を発した裁判所又は本案の裁判所に対して、**保全命令の取消しを申し立てることができる**とされている（**民保 38 Ⅰ**）。したがって、甲不動産について、Ｂを仮処分の債権者とする所有権の移転の登記請求権を保全する処分禁止の登記がされた後、当該登記請求権について「保全の必要性が消滅」したとしても、Ａ及びＢは、「解除」を登記原因として当該処分禁止の登記の抹消を申請することはできないので、「できる」とする本肢は、誤っている。

以上により、正しいものは、ア及びエであるから、2 が正解となる。

第26問　正解▶ 3　難易度★★☆

> **本問は、審査請求に関する出題である。**

ア　正しい。登記官の処分に係る審査請求については、行政不服審査法第18条の規定の適用はなく（**不登 158**）、**登記申請書の保存期間が経過した後であっても、審査請求をすることができる**とされている（昭和 37・12・18 民甲 3604 号回答）。したがって、登記の申請を却下する処分に対する審査請求は、当該申請において提供された申請情報及びその添付情報の保存期間が経過した後も「することができる」とする本肢は、正しい。

イ　誤り。「処分庁の上級行政庁又は処分庁である審査庁は、必要があると認める場合には、**審査請求人の申立てにより又は職権で**、処分の効力、処分の執行又は手続の続行の全部又は一部の停止その他の措置（以下「**執行停止**」という。）をとることができる。」と規定する行政不服審査法第25条第2項の規定は、登記官の処分に係る審査請求については適用しないとされている（**不登 158**）。したがって、法務局又は地方法務局の長は、必要があると認める場合には、審査請求人の申立てにより又は職権で、処分の執行の停止の措置をとることが「できる」とする本肢は、誤っている。

ウ　正しい。ⓐ登記官の処分に不服がある者のほか、ⓑ登記官の不作為に係る処分を申請した者も、「当該登記官を監督する法務局又は地方法務局の長」に審査請求をすることができるとされている（**不登 156 Ⅰ**）が、「不作為についての審査請求が当該不作為に係る処分についての申請から相当の期間が経過しないでされたものである場合その他不

適法である場合には，審査庁は，裁決で，当該審査請求を**却下する**。」と規定している**行政不服審査法第49条第1項**は，適用しないとはされていない（**不登158**）。したがって，登記の申請をした者は，当該申請から「相当の期間が経過した」にもかかわらず，登記官が何らの処分をもしない場合には，審査請求をすることが「**できる**」とする本肢は，正しい。

エ　**正しい**。「**審査請求人が死亡したときは，相続人**その他法令により審査請求の目的である処分に係る権利を承継した者は，**審査請求人の地位を承継する**。」（**行服15Ⅰ**），「前2項の場合には，審査請求人の地位を承継した相続人その他の者又は法人その他の社団若しくは財団は，**書面でその旨を審査庁に届け出**なければならない。この場合には，届出書には，死亡若しくは分割による権利の承継又は合併の事実を証する書面を添付しなければならない。」とする規定（**行服15Ⅲ**）は，適用しないとはされていない（**不登158**）。したがって，審査請求人が死亡し，その相続人が審査請求人の地位を承継した場合には，当該相続人は，処分をした登記官を監督する法務局又は地方法務局の長に対し，書面でその旨を届け出なければならないとする本肢は，正しい。

オ　**誤り**。審査請求の目的は，行政機関の内部で，簡易迅速にその誤りを是正させるところにあるので，例え登記官の処分が誤っていたとしても，もはや登記官自身が自律的にその誤りを是正できないような場合には，審査請求をしたところで無駄であるから，審査請求は認められない。そこで，登記の実行に対する審査請求は，**不動産登記法第25条第1号から第3号又は第13号に該当して登記官が職権抹消できる場合（不登71Ⅰ）**，又は職権更正できる場合（不登67Ⅱ）に限られることになる。ところで，「**申請の権限を有しない者の申請**」は，**不動産登記法第25条第4号の却下事由**であるから，**登記官が職権抹消又は職権更正できる場合ではない**。したがって，所有権の移転の登記が完了したが，当該登記が申請の権限を有しない者の申請によりされたものであると判明した場合には，そのことを理由として審査請求をすることが「**できる**」とする本肢は，誤っている。

以上により，誤っているものは，イ及びオであるから，3が正解となる。

第27問　正解▶ 1　難易度★☆☆

本問は，登録免許税に関する出題である。

ア　**誤り**。登記事項の更正の登記の登録免許税は，**不動産の個数1個につき1,000円**とされている（**登録税別表第一・一（十四））**。登記の「抹消」については，同一の申請情報により「20個」を超える不動産について登記の「抹消」を受ける場合には，「申請件数1件につき2万円」とされている（登録税別表第一・一（十五））が，**更正の登記につ**

午後の部　解説

いては，かかる規定は置かれていない。したがって，一の申請情報により20個を超える不動産についてする錯誤による所有権の登記名義人の住所の更正の登記の登録免許税の額は，「2万円」であるとする本肢は，誤っている。

イ　**正しい**。信託の効力が生じた時から引き続き「**委託者のみ**」が信託財産の元本の受益者である不動産の所有権を受託者から当該受益者（**当該信託の効力が生じた時から引き続き委託者である者に限る。**）に移転する場合の当該所有権移転の登記については，**登録免許税を課さない**とされている（**登録税7Ⅰ②**）。したがって，本肢は正しい。

ウ　**誤り**。所有権の登記名義人の住所が誤って登記された後に，当該登記名義人の住所について変更があった場合において，一の申請情報により当該登記名義人の住所の更正の登記と住所の変更の登記とを同時に申請したときは，登記記録には「**更正後の正しい住所**」を記録することなく，直ちに，「**住所移転後の現在の住所**」を記録する取扱い（一種の中間省略登記）であるため，登録免許税法上も，この中間省略登記的な取扱いを適法なものとして評価し，例外的に，「**住所錯誤による更正の登記**」分を除いた，「**住所移転による変更の登記**」分で足りるものとされている（昭和42・7・26民三794号依命通知）。したがって，この場合の登録免許税の額は，不動産の個数1個につき「2000円」であるとする本肢は，誤っている。

エ　**正しい**。抵当権の信託の仮登記の登録免許税は，「**債権金額の1,000分の1**」とされている（**登録税別表第一・一・（十二）・ホ・（2）**）。したがって，本肢は正しい。

オ　**正しい**。登記事項の更正の登記の登録免許税は，不動産の個数1個につき「**1,000円**」とされている（**登録税別表第一・一（十四）**）。したがって，法定相続分に応じてされた相続による所有権の移転の登記がされている場合において，遺産分割協議により相続人の一人が所有権を取得したときの「所有権の更正の登記」の登録免許税の額は，不動産の個数1個につき「1000円」であるとする本肢は，正しい。

以上により，誤っているものは，**ア及びウ**であるから，**1**が正解となる。

商業登記法

> 本問は，未成年者及び後見人の登記に関する出題である。

ア　誤り。未成年者の登記は，「**未成年者**」の申請によってするとされている（**商登36Ⅰ**）。したがって，「**法定代理人**」の申請によってするとする本肢は，誤っている。法定代理人が申請できるのは，営業の許可の取消しによる消滅の登記又は営業の許可の制限による変更の登記（**商登36Ⅱ**），未成年者の死亡による消滅の登記（**商登36Ⅲ**）のみである。

イ　誤り。未成年者の登記においては，「**未成年者**」の氏名，出生の年月日及び住所が登記事項とされている（**商登35Ⅰ①**）のみで，「**法定代理人**」の氏名及び住所は登記事項とされていない（**商登35Ⅰ**）。したがって，未成年者の登記においては，法定代理人の住所及び氏名をも「登記しなければならない」とする本肢は，誤っている。

ウ　正しい。未成年者が「**成年に達した**」ことによる未成年者の登記の消滅の登記は，未成年者の生年月日が登記事項となっている（**商登35Ⅰ①**）ので，「**未成年者による申請**」（**商登36Ⅰ**）のほか，「**登記官**」も登記記録から成年に達したことが判明するので，登記官が職権ですることができるとされている（**商登36Ⅳ**）。したがって，本肢は正しい。

エ　正しい。後見人の登記の申請書には，「**後見監督人がないとき**」は，「**その旨を証する書面**」を（**商登42Ⅰ①**），「後見監督人があるとき」は，その「同意を得たことを証する書面」（**民864本文**）を添付しなければならないとされている（**商登42Ⅰ②**）。したがって，本肢は正しい。

オ　誤り。「**法人**」も後見人になることができる（**民840Ⅲ，843Ⅳ**）ため，当該法人の「**名称**」が登記事項とされている（**商登40Ⅰ①**）が，「法人の代表者の氏名又は名称及び住所」までは登記事項とされていない。したがって，本肢は誤っている。

以上により，正しいものは，**ウ**及び**エ**であるから，**4**が正解となる。

> 本問は，株式会社の設立の登記に関する出題である。

ア　正しい。株式会社の設立（合併及び組織変更による設立を除く。）の登記の申請書には，設立時取締役又は取締役会設置会社における設立時代表取締役若しくは設立時代表執行役（以下「設立時取締役等」という。）が就任を承諾したことを証する書面の印鑑につき市町村長の作成した証明書を添付しなければならず，取締役又は取締役会設置会

社における代表取締役若しくは代表執行役（以下「代表取締役等」という。）の就任（再任を除く。）の登記の申請書に添付すべき代表取締役等が就任を承諾したことを証する書面の印鑑についても，同様とされている（商登規61IV・V）が，先例（**平成28・6・28民商100号通達・第二・一，平成29・2・10民商第15号通達で改正**）は，「**外国人**」が設立時取締役等又は代表取締役等に就任した場合において，当該設立時取締役等又は代表取締役等が就任を承諾したことを証する書面に**署名しているとき**は，当該就任を承諾したことを証する書面の**署名が本人のものであることの本国官憲の作成した証明書の添付をもって，市町村長の作成した印鑑証明書の添付に代えることができる**としている。したがって，本肢は正しい。なお，同先例（**平成28・6・28民商100号通達・第二・二，平成29・2・10民商第15号通達で改正**）は，商業登記規則第61条第6項本文の規定により，同項各号に掲げる場合の区分に応じ，それぞれ当該各号に定める印鑑につき市町村長の作成した証明書を添付すべき場合についても，当該各号に規定する書面に外国人である議長又は取締役若しくは監査役が署名しているときは，当該書面の署名が本人のものであることの本国官憲の作成した証明書の添付をもって，市町村長の作成した印鑑証明書の添付に代えることができるとしている。

イ **正しい**。株式会社の設立の登記の申請において，発起設立の場合には，「会社法第34条第1項の規定による払込みがあったことを証する書面」（**商登47II⑤**）として「設立時代表取締役又は設立時代表執行役」の作成に係る払込取扱機関に払い込まれた金額を証する書面に，払込取扱機関における口座の預金通帳の写し又は取引明細表その他払込取扱機関が作成した書面のいずれかを合てつしたものをもって，当該書面として取り扱って差し支えないとする先例（**平成18・3・31民商782号通達・第二部・第一・2・（3）・オ**）があるが，最近の先例（**平成29・3・17民商41号通達**）は，株式会社の発起設立の登記の申請書に添付すべき会社法第34条第1項の規定による払込みがあったことを証する書面の一部として払込取扱機関における口座の預金通帳の写しを添付する場合における**当該預金通帳の口座名義人の範囲**につき，登記の申請書の添付書面の記載から，「**発起人及び設立時取締役の全員が日本国内に住所を有していないことが明らかである場合**」には，預金通帳の口座名義人は，「**発起人及び設立時取締役以外の者**」であっても差し支えないが，払込みがあったことを証する書面として，発起人及び設立時取締役以外の者が口座名義人である預金通帳の写しを合てつしたものが添付されている場合には，「**発起人が当該発起人及び設立時取締役以外の者に対して払込金の受領権限を委任したことを明らかにする書面**」を併せて添付することを要するとしている。したがって，株式会社の設立が発起設立であり，添付書面の記載から発起人及び設立時取締役の全員が日本国内に住所を有していないことが明らかである場合において，発起人及び設立時取締役以外の者名義の預金口座に出資に係る金銭が払い込まれたときは，当該設立の登記の申請書には，発起人が当該預金口座の名義人に対して払込金の受領権限を

— 214 —

委任したことを明らかにする書面を添付しなければならないとする本肢は，正しい。

ウ　**誤り**。先例（昭和35・12・16民甲3139号通達）は，創立総会における調査報告（会93Ⅰ・Ⅱ）は，設立時取締役及び設立時監査役の「**全員**」がすることを要するので，創立総会に「出席した」設立時取締役及び設立時監査役のみからの調査報告書（商登47Ⅱ③イ）を添付した設立の登記の申請は受理することはできないとしている。したがって，株式会社の設立が募集設立であり，当該設立の登記の申請書に設立時取締役及び設立時監査役の調査報告を記載した書面及びその附属書類の添付を要する場合において，設立時取締役のうちの1名が創立総会に欠席したときは，「創立総会に出席した」設立時取締役及び設立時監査役の調査報告を記載した書面及びその附属書類を「添付すれば足りる」とする本肢は，誤っている。

エ　**誤り**。発起設立の場合において，定款で設立時取締役，設立時会計参与，設立時監査役又は設立時会計監査人を定めず，後にこれらの者を選任するときは，これらの者の選任は「**発起人の議決権の過半数**」の決定で足りるとされている（**会40Ⅰ**）。したがって，設立の登記の申請書には，「**ある発起人の一致のあったことを証する書面**」を添付すればよい（**商登47Ⅲ**）ので，「発起人全員の同意があったことを証する書面」を添付しなければならないとする本肢は，誤っている。

オ　**正しい**。株式会社の設立の登記の申請書には，法令に別段の定めがある場合を除き，「定款」を添付しなければならない（**商登47Ⅱ①**）が，株式会社の定款は，「**公証人の認証**」を受けなければ，その効力を生じないので（**会30Ⅰ**），当該添付する定款は「公証人の認証がなされた定款」でなければならないとされている。したがって，令和3年2月15日から，定款認証の嘱託及び設立登記の申請をオンラインで同時に行うことが可能とされたが，「申請された日の当日中」に定款が認証されなかった場合は，定款認証日が会社成立の日より遅れることになるため，設立登記の申請は却下するとされている（商登24⑦）。したがって，本肢は正しい。

　　以上により，誤っているものは，ウ及びエであるから，4が正解となる。

　第30問　　正解▶　**3**　　難易度★☆☆

本問は，監査役会設置会社の役員等に関する登記に関する出題である。

ア　**正しい**。平成27年5月1日施行の改正により，「社外監査役である旨」は，監査役会設置会社である場合に限って登記事項となるとされた（**会911Ⅲ⑱，335Ⅲ**）。したがって，監査役会設置会社が監査役会を置く旨の定款の定めを廃止した場合，監査役は退任しない（会336Ⅳ参照）が，当該定めの廃止の登記を申請すると同時に，社外監査役である旨の登記がされている監査役について「社外監査役である旨の登記の抹消」を申請

する必要がある。したがって，監査役会を置く旨の定款の定めを廃止した場合において，当該定めの廃止の登記を申請するときは，当該申請と同時に，社外監査役である旨の登記がされている監査役について，社外監査役である旨の登記の抹消を申請しなければならないとする本肢は，正しい。

イ　誤り。平成27年5月1日施行の改正で，監査役会設置会社においては，株主総会に提出する会計監査人の選任及び**解任**並びに会計監査人を再任しないことに関する議案の内容は，監査役会が決定することとされた（**会344Ⅰ・Ⅲ**）が，その「**議案の内容を監査役会が決定したことを証する監査役会議事録**」は添付書面とはされていない（**商登54Ⅱ**）。したがって，株主総会の決議により会計監査人を解任した場合には，会計監査人の退任による変更の登記の申請書には，監査役会が当該株主総会の議案の内容を決定したことを証する書面を「添付しなければならない」とする本肢は，誤っている。

ウ　正しい。会計監査人が職務上の義務に違反し又は「職務を怠ったとき」は，その会計監査人を解任することができる（**会340Ⅰ①**）が，「監査役会」が会計監査人を解任するには，監査役「**全員**」の同意が必要であるとされている（**会340Ⅳ・Ⅱ**）。したがって，職務を怠ったことを理由として監査役会が会計監査人を解任した場合には，会計監査人の退任による変更の登記の申請書には，「監査役の全員の同意があったことを証する書面」を添付しなければならない（**商登54Ⅳ**）とする本肢は，正しい。

エ　正しい。会計監査人が欠けた場合において，監査役会の決議によって一時会計監査人の職務を行うべき者を選任したとき（**会346Ⅳ・Ⅵ**）は，当該一時会計監査人の職務を行うべき者の就任による変更の登記の申請書には，「**その選任に関する書面**」（**商登55Ⅰ①**）として，一時会計監査人を選任した「監査役会の議事録」を添付しなければならない。したがって，本肢は正しい。

オ　誤り。一時会計監査人の職務を行うべき者に関する登記（**会911Ⅲ⑳**）は，正規の会計監査人の就任の登記を申請すれば，**登記官が職権により抹消**するとされている（**商登規68Ⅰ**）。したがって，一時会計監査人の職務を行うべき者に関する登記がされている場合において，会計監査人の就任による変更の登記を申請するときは，当該申請と同時に，一時会計監査人の職務を行うべき者に関する登記の抹消を「申請しなければならない」とする本肢は，誤っている。

以上により，誤っているものは，**イ及びオ**であるから，**3**が正解となる。

第31問　　正解▶　4　　難易度★☆☆

本問は，株式会社の資本金の額の変更の登記に関する出題である。

ア　誤り。減少する資本金の額（**会447Ⅰ①**）は，資本金の額の減少がその効力を生ずる

日（会447 I ③）における資本金の額を「**超えてはならない**」（会447 II）が，超えなければ，**資本金の額を「0円」**にすることもできる。したがって，減少後の資本金の額を0円とする資本金の額の変更の登記を「**申請することはできない**」とする本肢は，誤っている。

イ　**正しい**。剰余金の額の減少に伴う資本金の額の増加による変更の登記の申請書には，「**減少に係る剰余金の額が計上されていたことを証する書面**」を添付しなければならないとされている（**商登69**）。旧商法では，配当可能利益の資本組入れは，定時株主総会の決議によってのみ可能であり，同一の機会に貸借対照表の承認等がされるため（会438 II），当該定時株主総会の議事録だけが添付書面とされていた（旧商293ノ2，旧商登79）が，会社法では，剰余金の額を減少して資本金の額を増加するための株主総会は定時株主総会に限らないとされたことから（会450 II），定時株主総会以外の株主総会では必ずしも剰余金の存在が明らかでないため，株主総会の議事録のほか，「減少に係る剰余金の額が計上されていたことを証する書面」を別途添付書面とすることとされたものである。したがって，剰余金の資本組入れによる変更の登記の申請書には，当該組入れに係る剰余金の額が計上されていたことを証する書面を添付しなければならないとする本肢は，正しい。なお，減少に係る剰余金の額が計上されていたことを証する書面の添付によって「資本金の額が会社法及び会社計算規則の規定に従って計上されたこと」は明らかとなるため，その事実を証する書面（商登規61 IX）を別途添付する必要はないとされていることに注意しておくこと。

ウ　**誤り**。資本金の額の減少による変更の登記がなされた場合に，その資本金の額の減少に無効の原因があるときは，資本金の額の減少の無効は訴えをもってしか主張することができず（会828 I ⑤），当該訴えの認容判決が確定した場合は，「**裁判所書記官**」から登記官に当該変更登記の抹消の嘱託がなされるとされている（**会937 I ①ニ**）。したがって，当事者が申請することはできないし，申請する必要もないので，資本金の額の減少による変更の登記があった場合において，当該資本金の額の減少に係る株主総会の決議に無効の原因があるときは，資本金の額の減少の無効の訴えに係る請求を認容する判決書の謄本及び確定証明書を添付して，当該変更の登記の抹消を「**申請しなければならない**」とする本肢は，誤っている。

エ　**誤り**。株式会社が資本金の額を減少するには，原則として，株主総会の「**特別決議**」により決議しなければならない（会447 I，309 II ⑨）が，資本金の額の減少を「**定時株主総会**」において決議する場合において，減少する資本金の額が定時株主総会の日（会計監査人設置会社にあっては，取締役会による計算書類の承認があった日）における「**欠損の額を超えないとき**」は，株主総会の「**普通決議**」で足りるとされている（**会309 II ⑨**，会施規68）。そこで，この場合には「**一定の欠損の額が存在することを証する書面**」を添付しなければならないとされている（**商登規61 X**）。具体的には，代表者

の作成に係る証明書等がこれにあたる（平成18・3・31民商782号通達・第二部・第四・2・(3)・イ・(イ)）。したがって，定時株主総会において，当該定時株主総会の日における欠損の額を超えない範囲で資本金の額を減少する旨の決議が普通決議によりされた場合であっても，資本金の額の減少による変更の登記の申請書には，一定の欠損の額が存在することを証する書面を「添付することを要しない」とする本肢は，誤っている。

オ　**正しい。**旧法では，有限会社は準備金の資本組入れをすることができないとされていたが，改正後は，整備法には特段の特例をおくことなく，**特例有限会社についても，通常の株式会社（会448）と同様に，資本準備金の資本組入れをすることが可能とされた。**したがって，「特例有限会社」は，準備金の資本組入れを決議した株主総会の議事録を添付して，資本金の額の変更の登記を「申請することができる」とする本肢は，正しい。**以上により，正しいものは，イ及びオであるから，4 が正解となる。**

第32問　　正解▶ **4**　　難易度★☆☆

> **本問は，清算株式会社の登記に関する出題である。**

ア　**正しい。**定款に清算人の定めがなく，株主総会において清算人を選任しなかったときは，清算開始時の「取締役」が法上当然に清算人になるので（法定清算人，会478 I ①），定款又は株主総会の決議によって清算人を選任したときに限り，清算人の就任承諾書を添付するとされている（**商登73 II**）。したがって，取締役が定款の定め又は株主総会の決議によらずに最初の清算人となった場合には，清算人の登記の申請書には，当該清算人が就任の承諾をしたことを証する書面の「添付を要しない」とする本肢は，正しい。

イ　**誤り。**裁判所が選任した者が清算人となった場合（会478 II）の清算人の登記の申請書には，その「**裁判所の選任を証する書面**」及び「**代表清算人の氏名及び住所（会928 I ②）を証する書面**」を添付しなければならない（**商登73 III**）が，「**就任を承諾したことを証する書面**」は添付する必要はないとされている（商登73 II 参照）。したがって，裁判所が選任した者が最初の清算人となった場合には，清算人の登記の申請書には，当該清算人が就任の承諾をしたことを証する書面を「添付しなければならない」とする本肢は，誤っている。

ウ　**正しい。**清算株式会社の監査役も，当該清算株式会社が①監査役を置く旨の定款の定めを廃止する定款の変更又は②「**監査役の監査の範囲を会計に関するものに限定する旨の定款の定めを廃止する定款の変更**」をした場合には，当該定款の変更の効力が生じた時に退任するとされている（会480 I）。したがって，監査役の監査の範囲を会計に関するものに限定する旨の定款の定めのある監査役を置く清算株式会社において，当該定

めを廃止した場合には，当該監査役の退任による変更の登記を「申請しなければならない」とする本肢は，正しい。

エ　正しい。「清算の開始原因（**会475**）に該当することとなった時」において「公開会社」又は「大会社」であった清算株式会社は，「**監査役**」を置かなければならないとされている（**会477Ⅳ**）。したがって，清算の開始時に会社法上の公開会社であった清算株式会社は，定款を変更して公開会社でない会社となった場合であっても，監査役設置会社の定めの廃止の登記を「申請することができない」とする本肢は，正しい。

オ　誤り。「監査役会」を置く旨の定款の定めがある清算株式会社は，清算人会を置かなければならないとされているので（**会477Ⅲ**），解散時に「公開大会社」であった会社（監査等委員会設置会社及び指名委員会等設置会社を除く）は，特に定款を変更して，監査役会設置会社の定めを廃止しない限り，清算人会設置会社の定めの設定の登記（会928Ⅰ③）を申請しなければならない。しかし，大会社でなければ，「公開会社」であるとしても，取締役会（会327Ⅰ①）とは異なり，清算人会を置く必要はない（**会477Ⅶ**）。したがって，清算の開始時に会社法上の「公開会社」であった清算株式会社である場合には，清算人の登記の申請書には，登記すべき事項として，清算人会設置会社である旨をも「記載しなければならない」とする本肢は，誤っている。

以上により，誤っているものは，イ及びオであるから，4が正解となる。

第33問　正解▶ 5　難易度★☆☆

> **本問は，持分会社の登記に関する出題である。**

ア　正しい。社員の一部を業務執行社員と定めている持分会社においては，業務の執行は定款に別段の定めがある場合を除き，「**業務執行社員の過半数の一致**」により決定するとされているため（**会591Ⅰ前段**），「支店を設置する場合」には，業務執行社員の過半数の一致により決定することができる。したがって，社員の一部を業務執行社員と定めている持分会社が，支店を設置した旨の登記を申請する場合は，「業務執行社員の過半数の一致により支店設置を決定した書面」を添付すれば足りるので（**商登93**），本肢は正しい。

イ　正しい。「総社員の同意」による社員の退社（会607Ⅰ②）による変更の登記の申請をする場合には，総社員の同意書，又は「**退社員の退社届と退社員以外の社員全員の同意書**」を「退社の事実を証する書面」（商登96Ⅰ）として添付するとされている。したがって，合名会社においては，「退社する社員の退社届及び退社する社員以外の社員全員の同意書」を添付して，総社員の同意による社員の退社による変更の登記を申請することができるとする本肢は，正しい。

ウ　誤り。「支配人の選任及び解任」は，社員の一部を業務執行社員と定めている持分会社においても，定款に別段の定めがある場合を除き，「社員の過半数の一致」により決定することを要するとされている（会591Ⅱ）。したがって，業務執行社員が2人以上ある場合には，合資会社における支配人の選任の登記の申請書には，「業務執行社員」の過半数の一致を証する書面を添付しなければならないとする本肢は，誤っている。

エ　誤り。「法人」が業務を執行する社員である場合には，当該法人は，当該「業務を執行する社員の職務を行うべき者」を選任しなければならず（会598Ⅰ），合同会社を「代表する社員」が法人であるときは，「当該社員の職務を行うべき者の氏名及び住所」が登記事項とされている（会914⑧）。この職務執行者になる者につき特に制限は設けられていないので，合同会社の代表社員が株式会社となる場合には，当該代表社員の職務執行者を当該株式会社において選任された「当該株式会社の役員でない者」とする設立の登記を申請することは「できない」とする本肢は，誤っている。

オ　正しい。「合同会社」においては，「業務執行社員」の氏名又は名称が登記事項とされているので（会914⑥），合同会社において，業務執行社員が業務を執行しないこととなった場合には，業務執行権の喪失による変更の登記を申請しなければならないとする本肢は，正しい。
　　以上により，誤っているものは，**ウ及びエ**であるから，**5**が正解となる。

第34問　　正解▶　3　　難易度★☆☆

> **本問は，新設分割の登記に関する出題である。**

ア　誤り。吸収分割（会758Ⅰ⑦）とは異なり，新設分割の効力は，新設分割設立株式会社の本店の所在地において「設立の登記がされた日」に生ずるとされている（**会814Ⅰかっこ書，49**）。したがって，「新設分割計画で定められた効力発生日」に新設分割の効力が生じるので，新設分割株式会社については，「国民の祝日である日」を変更の年月日として登記を申請することができるとする本肢の補助者の解答は，誤っている。

イ　正しい。新設分割株式会社の本店の所在地を管轄する登記所の管轄区域内に新設分割設立会社の本店がない場合，新設分割株式会社がする新設分割による変更の登記の申請と新設分割設立会社がする新設分割による設立の登記の申請は，新設分割設立会社の本店の所在地を管轄する登記所を「経由」し（**商登87Ⅰ**），「同時」にしなければならない（**商登87Ⅱ**）とされている。したがって，新設分割株式会社の本店所在地を管轄する登記所がA法務局，新設分割設立株式会社の本店所在地を管轄する登記所が「B法務局」の場合には，新設分割による新設分割設立会社の設立の登記の申請書と新設分割株式会社の変更の登記の申請書は，「B法務局」に対し，「同時」に提出するとす

る本肢の補助者の解答は，正しい。

ウ　**正しい**。新設分割の場合，新設分割計画書（商登86①）において，分割会社が新設会社に承継させた債務の全部に係る「**併存的（重畳的）債務引受**」の記載がある場合には，債権者保護手続を一切要しないとされている（**会810Ⅰ②，平成13・4・19民商1091号通知**）。したがって，新設分割計画において，会社法第763条第1項第12号に掲げる事項の定めがなく，かつ，新設分割株式会社が新設分割設立株式会社に承継させる債務の全てにつき新設分割株式会社が重畳的債務引受けをする旨の定めがある場合には，新設分割設立株式会社の設立の登記の申請書には，債権者保護手続を行ったことを証する書面を添付する必要はないとする本肢の補助者の解答は，正しい。

エ　**誤り**。新設分割株式会社は，原則として，「株主総会」の「特別決議」によって新設分割計画の承認を受けなければならない（**会804Ⅰ，309Ⅱ⑫**）が，新設分割により新設分割設立会社に承継させる資産の帳簿価額の合計額が新設分割株式会社の総資産額の5分の1（**会施規207**，これを下回る割合を新設分割株式会社の定款で定めた場合にあっては，その割合）を超えない場合には，新設分割株式会社の新設分割計画の承認は，取締役会の決議（取締役会設置会社ではない会社においては，取締役の過半数の一致）によってすることができるとされている（**会805，簡易分割**）。しかし，**略式分割の制度はない**。したがって，簡易分割の場合のほか，「略式分割の場合」にも，株主総会の議事録を添付する必要はないとする本肢の補助者の解答は，誤っている。

オ　**誤り**。新設分割による株式会社の設立の登記の登録免許税は，**資本金の額の1000分の7**とされている（**登録税別表第一・二十四・（一）・ト**）。したがって，新設分割設立株式会社の資本金の額が「1000万円」である場合には，新設分割による新設分割設立株式会社の設立の登記をする場合の登録免許税の額は，「資本金の額1000万円×7/1000」の「**金7万円**」となるので，「15万円」である（登録税別表第一・二十四・（一）・イ参照）とする本肢の補助者の解答は，誤っている。

　　以上により，補助者の解答のうち正しいものは，**イ**及び**ウ**であるから，**3**が正解となる。

第35問　　正解▶　1　　難易度★☆☆

本問は，一般財団法人の登記に関する出題である。

ア　**正しい**。一般財団法人においては，理事及び監事の氏名だけでなく，「**評議員の氏名**」も登記事項とされている（一般法人302Ⅱ⑤）。したがって，設立の登記の申請書には，登記すべき事項として，評議員の氏名を記載しなければならないとする本肢は，正しい。

イ　**誤り**。一般財団法人においても，「公告方法」は登記事項である（一般法人302Ⅱ⑫）が，一般財団法人においても，公告方法として，不特定多数の者が公告すべき内容であ

る情報を認識することができる状態に置く措置として法務省令で定める方法（一般法人331Ⅰ④）として、「一般財団法人の主たる事務所の公衆の見やすい場所に掲示する方法」が規定されている（一般法人施規88Ⅰ）。したがって、公告方法として「主たる事務所の公衆の見やすい場所に掲示する方法」を「登記することはできない」とする本肢は、誤っている。

ウ　**正しい**。一般財団法人が清算一般財団法人になった場合には、原則として監事を置くことは要しないとされており、既存の監事は任期満了により退任することとなる。もっとも、**清算の開始前に、その定款に清算一般財団法人となった場合には監事を置くこととする旨の定めを設けておくことは可能**であり、そのような定款の定めがある場合には、一般財団法人が清算一般財団法人となっても、既存の監事の任期は当然には終了しないので、この場合には、解散の日から2週間以内に、**監事を置く清算一般財団法人である旨を登記しなければならない**とされている（一般法人310Ⅰ④・Ⅲ→303、平成20・9・1民商2351号通達・第三部・第三・二・（一）・エ）。したがって、解散後も監事を置く旨の定款の定めのある一般財団法人が、定款で定めた存続期間の満了により解散した場合（一般法人202Ⅰ①）において、清算人の登記をするときは、監事設置法人である旨をも登記しなければならないとする本肢は、正しい。

エ　**誤り**。一般財団法人は、定款で定めていなくても、「基本財産の滅失その他の事由による一般財団法人の目的である事業の成功の不能」により当然に解散するので（一般法人202Ⅰ③）、当該解散する旨を定款で定めたとしても、「定款で定めた解散の事由」として登記すること（一般法人202Ⅰ②、302Ⅱ④）はできないので、本肢は誤っている。

オ　**誤り**。貸借対照表の電磁的開示の制度の採用及びそのURLの決定は、**一般財団法人の代表者による業務の決定として行われる**（一般法人199→128Ⅲ）。したがって、貸借対照表の内容である情報につき不特定多数の者がその提供を受けるために必要な事項を登記（一般法人302Ⅱ⑪）する場合には、その申請書には、当該事項について決議した「理事会の議事録」を「添付しなければならない」とする本肢は、誤っている。

以上により、正しいものは、**ア**及び**ウ**であるから、**1**が正解となる。

論　点

1　建物の増築部分の所有権の帰属

　　判例（**最判昭和38・5・31**）は，貸主の承諾を得た増改築であっても，「増築部分」が**当該建物と別個独立の存在を有せず，その構成部分となっている場合**には，民法第242条ただし書の適用はなく，その増築部分は，当該**建物の所有者**に帰属するとしている。

※　建物賃借人が，賃借建物の上に新たな建物を自己の費用で増築した場合に，当該増築部分から外部への出入りが，賃借建物の中にある梯子段を使用するほか方法がないときは，当該増築部分は当該**賃借建物の構造の一部を成し，それ自体は取引上の独立性を有せず，建物の区分所有権の対象たる部分には当たらないから，増築について賃貸人から承諾を受けていたとしても，民法第242条ただし書の適用はなく**，その増築部分の所有権は構築当初から**賃借建物の所有者**に属する（**最判昭和44・7・25**）。

2　解除による共同抵当権の抹消の登記

(1)　登記原因

　　①　物権としての抵当権設定契約のみが解除された場合の抵当権抹消登記の登記原因は，「解除」（平成21年通達記録例439）又は「抵当権解除」（登記研究357号83頁）とする。この場合には，被担保債権は無担保債権として存続する。

　　②　「債務が完済されたので，抵当権の設定契約を解除する。」とあるときの抵当権抹消登記の登記原因は，「弁済」とした方が妥当。

(2)　原因日付→解除の意思表示がなされた日（民540Ⅰ，97Ⅰ）

(3)　移転の付記登記のある抵当権の抹消

(4)　一括申請の可否→可（不登令4ただし書）

(5)　登録免許税→不動産1個につき，金1000円（登録税別表第一・一・(十五)）

3　代物弁済による所有権一部移転の登記

　　代物弁済による所有権移転登記の原因日付→所有権移転時期特約がなければ，代物弁済契約の合意日（民482，民176，**最判昭和57・6・4**）

4 保証委託契約に基づく求償債権を被担保債権とする共同抵当権設定の登記

(1) 保証契約は，保証人と債権者との間に行われ，保証人が保証債務を履行した場合は，主債務者に対して求償権を取得する。この保証人の求償権は，債務者の委託に基づく保証か否か，委託なき保証の場合には，さらに債務者の意思に反した保証であったか否かで，その求償できる範囲が異なる（民459，462）が，いずれの場合も保証人の求償権について抵当権を設定することができる。

(2) 登記原因

　　本問のごとく，保証人と債務者との間に委託契約がある場合で，求償債権を担保する場合の登記原因は，「年月日保証委託契約による求償債権年月日設定」とする（昭和48・11・1民三8118号通達）。

被担保債権		登記原因
甲乙間の金銭消費貸借に基づく，甲の乙に対する金銭消費貸借上の債権		年月日**金銭消費貸借**年月日設定
乙丙間に保証委託契約がある場合	丙の乙に対する求償債権及び保証料債権（平成21年通達記録例358，登記研究411号85頁）	年月日**保証委託契約**年月日設定
	丙の乙に対する求償債権（昭和48・11・1民三8118号通達）	年月日**保証委託契約による求償債権**年月日設定
	丙の乙に対する保証料債権（登記研究385号）	年月日**保証委託契約による保証料債権**年月日設定
乙丙間に保証委託契約がない場合	丙の乙に対する求償債権	年月日**保証契約による求償債権**年月日設定

5 「住所移転」を原因とする所有権登記名義人住所変更の登記

　　遺贈の登記を申請する場合において，「遺言者」の氏名等に変更が生じているときに，その前提として，その者についての登記名義人の氏名等の変更・更正の登記を要するか。

　　→「要しない」とする見解もある（登記先例解説集358号78頁）が，昭和43・5・7民甲1260号回答や登記研究401号160頁では「**要する**」とされている。また，司法書士試験においては，昭和61年度第15問で登記を要するという説で出題されていることから，受験生としては申請した方が妥当。

6 遺言執行者が指定されている相続人以外の者に遺贈がなされた場合の所有権移転の登記

(1) 「相続人以外の者」に相続させる旨の遺言がなされた場合の登記原因→遺贈

(2)　受遺者の単独申請の可否→不可，受遺者は相続人ではない（不登63Ⅲ）

(3)　遺贈の登記の前提として遺贈者についての所有権登記名義人住所変更の登記の省略
　　の可否→省略不可

(4)　受遺者を遺言執行者とすることの可否→可，受遺者は遺言執行者の欠格事由に該当
　　しない（民1009，974②参照）。

　　①　受遺者が遺言執行者に指定されている場合においても，登記の申請は，債務の履
　　　行に準ずべきものであるから，遺言執行者は同時に受遺者として登記の申請をする
　　　ことができる（大正9・5・4民甲1307号回答）。

　　②　受遺者が遺言執行者に指定されている場合には，遺言執行者は，登記権利者たる
　　　受遺者及び登記義務者たる遺言執行者として，登記の申請をすることができる（登
　　　記研究307号）。

(5)　受遺者が非相続人である場合の登録免許税（登録税17Ⅳ）

7　相続の放棄をした者による管理

　　令和5年4月1日施行の改正により，相続の放棄をした者による管理につき，「相続
の放棄をした者は，その放棄の時に相続財産に属する財産を**現に**占有しているときは，
相続人又は第952条第1項の相続財産の清算人に対して当該財産を引き渡すまでの間，
自己の財産におけるのと同一の注意をもって，その財産を**保存**しなければならない。」
と規定が改められた（**民940Ⅰ**）。

　　これは，相続人が相続を放棄すれば，相続財産の管理義務も本来消滅するはずである
が，放棄後，即時に管理を終了すると他の相続人や相続債権者に不都合が生じるからで
ある。そして，相続人が承認及び放棄をする以前の管理義務は，その固有財産における
のと同一の注意義務である（民918）ので，相続放棄者にもこれと同様の管理義務を課
したのである。

8　相続人不存在の場合の相続財産法人名義にする登記

(1)　相続人不存在の場合，相続財産は法人とされ（民951），法人が登記名義人となる
　　が，この場合の登記手続は，「相続人不存在」を登記原因とする「登記名義人氏名変
　　更の登記」による（**昭和10・1・14民甲39号通牒**，平成21年通達記録例193）。

(2)　死亡時の住所が登記記録に記録されている住所と異なるとき→登記の目的を「何番
　　登記名義人住所，氏名変更」とし，登記名義人の氏名及び住所に抹消する記号（下
　　線）を付与して，死亡時の住所をも記録する（平成21年通達記録例193注1）。この
　　場合，申請情報にその変更についての登記原因及びその日付を併記する必要がある
　　（登記研究665号165頁）。

※ 本来の解答例は太字で記載してある部分です。答案作成に際して注意すべき点を活字のポイントを小さくして記載してありますので，参考にしてください。また，＜×○○＞と記載してあるのは，間違いの解答例です。同じ間違いをしていないかどうかを確認してください。なお，＜▽○○＞と記載してあるのは，間違いとまでは言いませんが，受験生としては妥当でないと思われる解答例です。

※ 以下，次の略称を用いています。
　① 事実関係に関する補足→補足
　② 答案作成に当たっての注意事項→注

第1欄

誰に帰属するか	A（に帰属する。）
理由	**判例によれば，増築部分が当該建物と「別個独立の存在を有せず」＜補足1参照＞，その構成部分となっている場合には，増築部分は，「当該建物の所有者」に帰属するとされているから。** ☞**最判昭和38・5・31**

第2欄（甲土地及び乙建物） ←令和4年4月1日に申請した登記

⑴

登記の目的 不登令3⑤		**1番＜×付記1号＞抵当権抹消** ☞補足5の⑴の指示により1番目に申請する。 ☞補足5の⑶の指示により一括申請（不登令4ただし書） ☞甲土地・乙建物の乙区2番で登記
申請事項等	登記原因及 びその日付 不登令3⑥	**令和4年2月22日解除** ←事実関係4，別紙3
	上記以外の 申請事項等 ※注1⑴の 指示	**権利者　A** ←注1⑵の指示（不登60） ☞注1⑶の指示により，「申請人」については，「住所」（不登令3①）は，記載することを要しない。以下，同じ。 **義務者　生駒大和信用金庫** ☞注1⑶の指示により，「申請人」については，「本店所在地」（不登令3①），代表機関の資格及び氏名（不登令3②）並びに会社法人等番号（不登令7Ⅰ①イ）は，記載することを要しない。以下，同じ。
添付情報 ※注2の指示に 注意		**ア** ←注2⑴の指示，以下同じ。抵当権解除証書（別紙3），登記原因証明情報（不登61，不登令別表二十六・添へ） **キ** ←登記識別情報（生駒大和信用金庫が甲土地の乙区1番付記1号で通知を受けたもの），不登22本文 **コ** ←登記識別情報（生駒大和信用金庫が乙建物の乙区1番付記1号で通知を受けたもの） **ナ** ←生駒大和信用金庫の会社法人等番号，不登令7Ⅰ①イ ＜×A及び生駒大和信用金庫の代表者の各委任状＞ ☞不登令7Ⅰ②，注2⑶の指示により記載不要。以下同じ。
登録免許税 不登規189Ⅰ前段		**金2,000円＜×1,000円＞** ☞金1,000円×「不動産2個（甲土地，乙建物）」＜登録税別表第一・一・（十五）＞
不動産の表示 ※注3の指示		（甲土地）　　（乙建物）

(2)

登記の目的	所有権一部移転
	☞乙建物の甲区2番で登記

<table>
<tr><td rowspan="3">申請事項等</td><td>登記原因及びその日付</td><td>令和4年3月25日代物弁済 ←別紙5の2⑸（民482）</td></tr>
<tr><td>上記以外の申請事項等</td><td>権利者　＜×奈良県奈良市小山町15番地3＞
☞事実関係5，注1⑶の指示により記載しない。
持分10分の7　X ←別紙5の2⑷
☞「移転持分」の記載を忘れない（不登令3⑪ホ）。
☞登記識別情報通知（不登21本文）
義務者　A</td></tr>
<tr><td>添付情報</td><td>ウ ←登記原因証明情報（別紙5）
ク ←登記済証（乙建物の甲区1番のもの）
ス ←Aの印鑑に関する証明書
ツ ←Xの住民票の写し</td></tr>
</table>

登録免許税	金33,300円＜×33,000円＞
	☞金238万188円（補足9）×7/10（登録税10Ⅱ）＝1,666,131.6円→1000円
	未満切捨て（国通118Ⅰ）→1,666,000円×20/1000（登録税別表第一・一・
	(二)・ハ）＝33,320円→100円未満切捨て（国通119Ⅰ）→33,300円

不動産の表示	甲土地　　　　⟨乙建物⟩

(3)

登記の目的	＜×共同＞**抵当権設定**
	☞普通抵当権は，同一債権について複数の物件に設定した場合，当然に共同抵当となるので，根抵当権とは異なり，登記の目的に「共同」の文字は冠記しないことに注意する。
	☞補足5の(3)の指示により一括申請をする（不登令4ただし書，不登規35⑩）。
	☞甲土地・乙建物の乙区3番で登記

	登記原因及びその日付	**令和4年3月25日保証委託契約による（orに基づく）求償債権** **令和4年4月1日設定**　←事実関係6，別紙4
申請事項等	上記以外の申請事項等	**債権額　金900万円** **損害金　年14%** **債務者　奈良県奈良市小山町15番地3** 　　　　　☞登記事項については，住所の記載省略の指示ナシ（注1(3)） 　　　　　　　X **抵当権者　ひかり信用保証株式会社** 　　　　　☞登記識別情報通知（不登21本文，不登規62 I ②） **設定者　A** 　　　　　　　X

添付情報	**イ**　←抵当権設定契約証書（別紙4），登記原因証明情報（不登61，不登令別表五十五・添）， **オ**　←登記済証（甲土地の甲区1番のもの） **ク**　←登記済証（乙建物の甲区1番のもの） **シ（Xが乙建物の甲区2番で通知を受けたもの）**　←注2(4)の指示 **ス**　←Aの印鑑に関する証明書 **ソ**　←Xの印鑑に関する証明書 **ヌ**　←ひかり信用保証株式会社の会社法人等番号

登録免許税	**金36,000円＜×72,000円＞** ☞900万円（債権額）×4/1000＜登録税別表第一・一・(五)，登録税13 I ＞

不動産の表示	甲土地　　　乙建物

第３欄（甲土地） ←令和６年２月19日に甲土地について申請した登記

(1)

登記の目的		**１番所有権登記名義人住所変更** ☞甲土地甲区１番付記１号で登記（不登規３①） ＜×所有権移転　令和６年１月20日遺贈＞ ☞前提登記として，本件の申請が必要（不登25⑦）
申請事項等	登記原因及びその日付	**令和４年５月２日住所移転**　←事実関係７
	上記以外の申請事項等	＜▽変更後の事項＞←不登令別表二十三・申 ☞問題は，登記記録の「権利者その他の事項」欄に記録される情報を記載するとしており，登記記録の「権利者その他の事項」欄に記録される事項「に関する申請情報」を記載するとはしていないので，「変更後の事項」という項目は記載する必要はないと考える。もっとも，記載したとしても減点されることはないであろう。 　**住所　奈良県丹生郡今川町1305番地** 　**申請人　亡Ａ**　←不登64Ⅰ，注１(2)の指示
添付情報		**タ**　←Ａの住民票の除票の写し，登記原因証明情報（不登61，不登令別表二十三・添） **エ**　←（別紙６） **テ**　←Ａが死亡した旨の記載のある戸籍の全部事項証明書
登録免許税		**金1,000円** ☞金1,000円×「不動産１個」（甲土地）＜登録税別表第一・一・（十四）変更登記＞

(2)

登記の目的	＜×登記不要＞　←注6の指示 **所有権移転** 　☞甲土地甲区3番で登記		
申請事項等	登記原因及びその日付	**令和6年1月20日遺贈**　←事実関係8（別紙6）・9（民985Ⅰ）	
	上記以外の申請事項等	**権利者　X** **義務者　亡A**	
添付情報		エ　←登記原因証明情報（不登61，不登令別表三十・添イ）として，Aの検認済み（別紙6の注，民1004Ⅰ）の自筆証書遺言書（別紙6）を提供する。 テ　←Aが死亡した旨の記載のある戸籍の全部事項証明書 オ　←登記済証（甲土地の甲区1番のもの），不登22本文 ソ　←Xの印鑑に関する証明書，不登規47③イ(1) ツ　←Xの住民票の写し（不登令別表三十・添ハ，不登令9，不登規36Ⅳ）	
登録免許税		**金164,000円** 　☞金820万2876円（補足9）→1000円未満切捨て（国通118Ⅰ） 　→820万2000円×20/1000（登録税別表第一・一・(二)・ハ，Xは非相続人）＝164,040円→100円未満切捨て（国通119Ⅰ）→164,000円	

第4欄

A	現に
B	相続人
C	相続財産の清算人
D	自己の財産におけるのと同一　＜×善良な管理者＞
E	保存

第5欄（丙土地） ←令和6年7月5日に丙土地について申請した登記

登記の目的	1番所有権登記名義人住所，氏名変更
登記原因及びその日付	令和4年5月2日住所移転　←事実関係7 令和6年1月20日相続人不存在　←事実関係9・11，民951
申請人	申請人　亡A相続財産清算人　法務新　←事実関係12
登録免許税	金**1,000円**＜×2000円＞ ☞金1,000円×「不動産1個（丙土地）」＜登録税別表第一・一・（十四） 　変更登記＞

1 代物弁済による所有権移転の登記

(1) 代物弁済の意義

　　代物弁済契約とは,「弁済をすることができる者」(以下「弁済者」という。) が, 債権者との間で, 債務者の負担した給付に代えて他の給付をすることにより債務を消滅させる旨の契約 (諾成契約) であり, その弁済者が「当該他の給付をしたとき」は, その給付は,「弁済と同一の効力」を有するとされている (民482)。したがって, 代物弁済による債務消滅の効力は, 原則として, 単に物の所有権を移転する旨の意思表示をなすのみでは足りず, 動産であれば現実の給付, 不動産であれば, 不動産の引渡しでは足りず, 所有権移転登記手続の完了によって生ずるとするのが判例である (**最判昭和40・4・30**)。

(2) 代物弁済による所有権移転

　　所有権の移転などの物権変動は, 意思表示のみで効力が生じる (民176)。したがって, 代物弁済による所有権移転の効果は, 代物弁済による債務消滅の効果の発生の有無に関係なく, 代物弁済契約の意思表示により生ずるとするのが判例 (**最判昭和57・6・4**) である (令和2年4月1日施行の改正民法第482条でこの点が明確にされた。)。もちろん, 所有権移転の効力を条件に付することもでき, その場合の効力は条件の成就により発生することになる。

2 遺贈を登記原因とする権利の移転登記の単独申請の可否

　　令和5年4月1日施行の改正により,「遺贈 (**相続人に対する遺贈に限る。**) による所有権の移転の登記は, 第60条の規定にかかわらず, 登記権利者が単独で申請することができる。」との規定 (**不登63Ⅲ**) が, 追加された。

※　不動産登記法第63条第3項の規定により登記権利者が単独で申請するときは,「相続があったことを証する市町村長その他の公務員が職務上作成した情報 (公務員が職務上作成した情報がない場合にあっては, これに代わるべき情報) 及び遺贈 (相続人に対する遺贈に限る。) によって所有権を取得したことを証する情報」を登記原因証明情報として提供する (**不登令別表三十・添ロ**。令和5年4月1日施行の改正で追加)。

3 相続人不存在の場合の相続財産法人名義にする登記

(1) 所有権の登記名義人につき相続が開始したが,「相続人のあることが明らかでないとき」は, 相続財産は法人とされ,「相続財産法人」が成立する (民951)。

⑵　死者名義の登記を相続財産法人名義とする登記は，所有権移転登記ではなく，「**登記名義人氏名変更の登記**」によるとされている（**昭和10・1・14民甲39号通牒**，平成21年通達記録例193）。相続財産が法人となるのは，民法が特別に擬制したものなので，主体の変更とみるよりも，主体の同一性を維持したまま，その人格の形態を変更したものとみるべきだからである。

　　したがって，本問でも，Ａの登記名義をその相続財産法人名義とする，登記名義人の氏名の変更の登記を申請しなければならない。

⑶　死者名義の財産が相続財産法人名義になるのは，被相続人の死亡の時である。相続財産が法人とされるのは，「相続人のあることが明らかでないとき」（民951）であるが，「相続人のあることが明らかでないとき」という状況は，被相続人の死亡の時に生じるからである。したがって，本問の登記名義人氏名の変更の登記の申請書に記載すべき登記原因は，「相続人不存在」であり，その日付は，Ａの死亡の日（令和6年1月20日，事実関係9）となる。

⑷　なお，事実関係7より，Ａは令和4年5月2日に住所を移転しているが，被相続人（登記名義人）の死亡時の住所と登記記録上の住所とが異なる場合には，登記原因及びその日付として，その住所の変更についての登記原因及びその日付を併記するとともに（登記研究665号165頁），変更後の事項について「住所（死亡時の住所）」の記載も要するとされている。

　　したがって，本問においても，①相続財産法人名義とする登記名義人氏名変更の登記の前提として，住所移転による登記名義人住所変更の登記を申請する必要があるが，②相続財産法人名義とする登記名義人氏名変更の登記と併せて一の申請情報により，住所移転による登記名義人住所変更の登記を申請することができるので（不登規35⑧），申請件数はできるだけ少なくするものとするとの補足5の⑶の指示があるので，②の方法で申請する。

⑸　死者名義の登記を相続財産法人名義とする登記名義人の氏名変更の登記の申請は，相続財産法人が申請人で，相続財産の清算人が相続財産法人を代表してする。しかし，この登記の申請書に，申請人として記載するのは，相続財産法人ではなく，相続財産清算人の氏名及び住所でなければならない。したがって，本問でも，登記名義人の氏名変更の登記の申請書には，申請人として，相続財産清算人である法務新の氏名及び住所（本問では省略，注1の⑶の指示）を記載する必要がある。

⑹　死者名義の登記を相続財産法人名義とする登記名義人の氏名の変更の登記を申請する場合には，代理人の権限を証する情報（不登令7Ⅰ②）として，相続財産清算人の選任審判書正本（又は謄本）を提供しなければならないが，登記実務は，当該審判書の記載から，①当該相続財産清算人の選任が相続人不存在の場合であること，②死亡者の死亡年月日の双方又は一方が明らかであるときは，当該審判書が登記原因証明情

報の全部又は一部を兼ねることができるとしている（昭和39・2・28民甲422号通達）。

相続財産清算人選任審判書の記載内容	登記原因証明情報の内容
相続財産清算人の選任が相続人不存在の場合であることも，死亡者の死亡年月日も，明らかでないとき	審判書とは別に，登記原因証明情報として戸籍全部事項証明書等が必要。
相続財産清算人の選任が相続人不存在の場合であることも，死亡者の死亡年月日も，明らかであるとき	相続財産清算人選任審判書正本のみで足りる。
相続財産清算人の選任が相続人不存在の場合であることは明らかであるが，死亡者の死亡年月日が明らかでないとき	相続財産清算人選任審判書正本のほか，被相続人の死亡の日を証するに足りる戸籍全部事項証明書が必要。

論点

1　前提となる申請会社（株式会社サクラ）の判断

(1)　単一株式発行・非公開（会2⑤，別紙1）・非大会社（会2⑥，資本金の額金1億5000万円，注8の示唆）

(2)　機関設計

 ①　取締役会→任意（会327Ⅰ）

 ②　取締役の任期→「選任後3年以内に終了する事業年度のうち最終のものに関する定時株主総会の終結の時まで」とする規定アリ（別紙2第29条第1項，会332Ⅱ），補欠・増員取締役の任期短縮規定ナシ

 ③　取締役の員数→3人以上（会331Ⅴ，定款の定めナシ：別紙2，注6の示唆）

 ④　監査役→必須（会327Ⅱ本文），ただし会計参与で代替可（会327Ⅱただし書），業務監査権限なし（別紙1，会389Ⅰ）

(3)　自己株式2000株アリ（別紙5）→議決権行使不可（会308Ⅱ）

(4)　株券不発行会社（別紙1，会911Ⅲ⑩）

(5)　公告をする方法→官報（別紙1：会911Ⅲ㉗，別紙2第4条）

2　公告をする方法の変更の登記

(1)　決議機関・決議要件→株主総会の「特別決議」による定款変更（会939Ⅰ・Ⅲ，466，309Ⅱ⑪）

(2)　電子公告の方法を定めた場合の登記事項（会939Ⅰ③，911Ⅲ㉗㉘イ）

(3)　予備的公告方法の定めの登記の可否→可（会939Ⅲ後段，911Ⅲ㉘ロ）

(4)　ウェブページアドレスの立証書面

 電子公告を公告方法とした場合のウェブページのアドレスについては会社法上，定款の記載事項とされていないことから（会939Ⅲ前段参照），株主総会議事録に記載されている必要はないが，代理人による申請の場合，その委任状にウェブページのアドレスの記載を要する（登記研究690号130頁）。委任状に記載がない場合には，別途「アドレスの決定を証する書面」を添付する必要がある（法務省ホームページ）。

3 単一株式発行・非公開・取締役会設置会社の株主割当による募集株式の発行による変更の登記

⑴　募集事項を取締役会で決議することの可否→定款の定めが必要（会202Ⅲ②，別紙2の定款第15条）→定款添付（商登規61Ⅰ）

⑵　割当決議の要否→不要（会204Ⅳ）

⑶　基準日（定めがない場合は決議日）と募集株式の引受けの「申込期日」（払込期日ではない）の間に2週間アリ（会202Ⅳ）→申込株主全員の同意書の添付不要

⑷　自己株式の処分との併用発行をした場合の資本金の増加額の計算

4 会計参与設置会社の定めの設定及び会計参与の変更の登記

⑴　設定の可否→可（会326Ⅱ）

⑵　会計参与設置会社の定め→株主総会の特別決議による定款変更（会326Ⅱ，466，309Ⅱ⑪）

⑶　税理士法人の選任の可否→可（会333Ⅰ）

⑷　選任の決議機関・決議要件→株主総会の特則普通決議（会329Ⅰ，341）

⑸　登記事項証明書の添付の要否→他管轄の場合は必要（商登54Ⅱ②），会社法人等番号の提供で省略可（商登19の3）

⑹　計算書類等の備置場所（会378Ⅰ，911Ⅲ⑯）→会計参与の事務所の場所の中から定めなければならない（会施規103Ⅱ）

5 監査役設置会社の定めの廃止，監査役の変更及び監査役の監査の範囲を会計に関するものに限定する旨の定款の定めの廃止の登記

⑴　公開会社ではない株式会社（会計監査人設置会社及び大会社を除く。）においては，取締役会設置会社であっても，会計参与を置くことで，監査役を置かないことができる（会327Ⅱただし書・Ⅲ，328Ⅱ）。

⑵　監査役の退任（会336Ⅳ①）

⑶　監査役の監査の範囲を会計に関するものに限定する旨の定款の定めの廃止

6 取締役及び代表取締役の変更の登記

⑴　取締役の任期満了による退任の登記

　　任期満了退任を証する書面としての定款添付の要否→議事録に取締役の任期が本定時株主総会の終結をもって満了する旨の記載ナシ→定款（別紙2の第29条第1項，第33条，第10条）の添付が必要

⑵　代表取締役たる取締役が，取締役のみを辞任した場合の退任登記

　　①　退任事由→代表取締役については，辞任ではなく，「（資格喪失による）退任」とする。

②　取締役の員数を欠くが，代表取締役の員数を欠かない場合の退任登記の可否→代表取締役の権利義務者（会351Ⅰ）にならない以上，代表取締役のみにつき退任の登記申請可。

③　代表取締役等が辞任したことを証する書面に押印した印鑑についての市町村長作成の証明書の添付（商登規61Ⅷ）の要否→Ｂは登記所に印鑑を提出していない→不要

(3)　後任者の就任による取締役の権利義務者の退任の登記

7　役員等の会社に対する責任の免除に関する規定の設定の登記

(1)　設定できる会社（会426Ⅰ）

①　「監査役設置会社」（「取締役が2人以上」ある場合に限る。）

・監査役の監査の範囲を会計に関するものに限定する旨の定めがある会社は，「監査役設置会社」ではないから（会2⑨），役員等の責任の免除に関する規定を設けることができない。

・非監査役設置会社は，会計参与設置会社（会327Ⅱただし書）でも，設定不可（会426Ⅰ）

②　又は「監査等委員会設置会社又は指名委員会等設置会社」

(2)　定款で定める（会426Ⅰ）→株主総会の特別決議（会466，309Ⅱ⑪）

8　非業務執行取締役等の会社に対する責任の制限に関する規定の設定の登記

(1)　「非監査役設置会社」でも設定可（会427Ⅰ）

(2)　対象役員等→「非業務執行取締役」，監査役，「会計参与」，会計監査人（会427Ⅰ）
平成27年5月1日施行の改正で，責任限定契約の対象役員は，社外取締役から非業務執行取締役及び社外監査役以外の監査役にも拡大されたことに伴い，責任限定契約を締結した社外取締役・社外監査役の登記は廃止された（会911Ⅲ㉕）。

(3)　定款で定める（会427Ⅰ）→株主総会の特別決議（会466，309Ⅱ⑪）

(4)　登記事項は「定款の定め」自体であり（会911Ⅲ㉕），責任限定契約を締結した旨，契約で定めた賠償責任の限度額及び契約を締結した役員は，登記事項ではない→実際に責任限定契約を締結した非業務執行取締役等がいなくても，登記申請が必要。

9　株式交付による変更の登記

(1)　令和3年3月1日施行の改正において，買収会社がその株式を対価とする手法により円滑に被買収会社を子会社とすることができるように，買収会社が被買収会社をその子会社とするために被買収会社の株式を譲り受け，当該株式の譲渡人に対して当該株式の対価として買収会社の株式を交付することができる株式交付の制度が新たに設

けられ（会774の2〜774の11，816の2〜816の10等），「**株式交付**」の定義として，「**株式会社**が**他の株式会社**をその**子会社**（法務省令で定めるものに限る。）とするために当該他の株式会社の株式を譲り受け，当該株式の譲渡人に対して当該株式の対価として**当該株式会社の株式を交付**することをいう。」との規定が追加された（会2㉜の2）。

(2) 株式交付においては，株式交付親会社についてのみ発行済株式の総数等の変更登記義務が生じ，「株式交付子会社」については，株主や新株予約権者の構成が変わるだけであって，登記事項に変更を生じない。

(3) 登記すべき事項

登記すべき事項は，次のとおりである（会社履歴区に株式交付をした旨の登記はなされない。商登規別表第五）。

① 変更後の資本金の額，発行済株式の総数（種類株式発行会社にあっては，発行済みの株式の種類及び数を含む。）及び変更年月日

② 株式交付親会社が株式交付に際して対価として新株予約権又は新株予約権付社債を交付した場合には，新株予約権に関する登記事項及び変更年月日

(4) 添付書面

添付書面は，次のとおりである。

① 株式交付計画書（商登90の2①）

② 株式の譲渡しの申込み又は総数譲渡し契約（会774の6）を証する書面（商登90の2②）

③ 株式交付計画の承認に関する書面（商登46，商登規61Ⅲ）

承認機関に応じ，株主総会・種類株主総会の議事録及び株主リスト，取締役会の議事録又は取締役の過半数の一致があったことを証する書面を添付しなければならない。

④ 債権者保護手続が必要な場合には，債権者保護手続関係書面（商登90の2④）

株式交付親会社については，原則として，債権者保護手続を要しないが，対価として株式交付親会社の株式（少額の金銭等を含む。）以外の財産を交付する場合には，債権者保護手続をとる必要がある（会816の8Ⅰ，会施規213の7）。

⑤ 資本金の額が会社法の規定（会445Ⅴ）に従って計上されたことを証する書面（商登90の2⑤）

(5) 登録免許税額

① 増加した資本金の額（課税標準金額）の1000分の7（これによって計算した税額が3万円に満たないときは，申請件数1件につき，3万円）である（登録税別表第一・二十四・(一)・ニ）。

② 無増資の場合は，申請件数1件につき3万円（登録税別表第一・二十四・(一)・ツ）。

※　本来の解答例は太字で記載してある部分です。答案作成に際して注意すべき点を活字のポイントを小さくして記載してありますので，参考にしてください。＜×○○＞と記載してあるのは，間違いの解答例です。同じ間違いをしていないかどうかを確認してください。

※　また，単に「注」とあるのは，問題文中の（答案作成に当たっての注意事項）を意味しています。

第1欄　←令和6年4月4日に申請した登記の申請書

【登記の事由】　←商登17Ⅱ③

☞区ごとに整理して記載する（商登規35Ⅱ）ことを要しないとの指示がないので，区ごとに整理して解答しておくが，必ずしも区ごとに整理して記載していなくて大きく減点されることはないと思われるし，関連する登記ごとに記載した方がミスが防げると思うなら，受験生としてはその方が妥当であろう。

公告をする方法の変更　←商号区

募集株式の発行　←株式・資本区

取締役，代表取締役，会計参与及び監査役の変更　←役員区

監査役の監査の範囲を会計に関するものに限定する旨の定款の定めの廃止　←役員区

会計参与設置会社の定めの設定　←会社状態区

監査役設置会社の定めの廃止　←会社状態区

【登記すべき事項】　←商登17Ⅱ④

☞申請書以外の電磁的記録に記録することができる事項（商登17Ⅲ，商登規35の3Ⅰ①，33の6Ⅳ①）についても，「別添CD－Rのとおり」等とはせず，答案用紙の該当欄に直接記載することとの指示はないが，試験であるから，申請書に直接記載する。

令和6年3月25日変更

公告をする方法

電子公告の方法により行う。

ｈｔｔｐｓ：／／ｗｗｗ．ｓａｋｕｒａ．ａｂｃ．ｊｐ／

☞記載場所に注意すること。全て全角文字で記載する。

ただし，事故その他のやむを得ない事由によって電子公告による公告ができない場合には，官報に掲載してする。

令和6年4月1日変更　←会209Ⅰ①，別紙3の5

　発行済株式の総数　1万4500株　←1万2000株＋2500株

　　☞2株に1株割当て→自己株式2000株には割り当てない→HとI（合計1000株→割当数500株）は申し込まず（別紙15の3）→4500株→自己株式2000株を交付→発行株式数2500株

　資本金の額　金1億6250万円

　　☞1億5000万円＋1250万円｛2500万円（10000円×2500株）×1/2｝，なお，自己株式処分差損は生じていない（別紙15の2）。

令和6年3月25日次の者就任

　会計参与　税理士法人ハマナス

　（書類等備置場所）東京都渋谷区ハマナス3番地

同日監査役F（任期満了により）退任

同日監査役の監査の範囲を会計に関するものに限定する旨の定款の定め廃止

令和6年3月25日取締役D及び取締役E（任期満了により）退任

＜×令和6年3月30日取締役B辞任＞

令和6年3月30日代表取締役B（資格喪失により）退任＜×辞任＞

令和6年3月25日会計参与設置会社の定め設定

同日監査役設置会社の定め廃止

【登録免許税額】←商登17Ⅱ⑥前段

金147,500円

　☞資本金増加分は，増加した資本金の額金1250万円に1000分の7を乗じた額であるから，「金8万7,500円」である（登録税別表第一・二十四（一）ニ）。

　☞取締役，代表取締役，会計参与及び監査役の変更，監査役の監査の範囲を会計に関するものに限定する旨の定款の定めの廃止の登記は，役員変更分として，役員変更時点の資本金の額は1億円超の「1億5000万円」であるので，申請件数1件につき，「金3万円」である（同カ）。

　☞公告をする方法の変更，会計参与設置会社の定めの設定及び監査役設置会社の定めの廃止の登記は，その他変更分として，申請件数1件につき，「金3万円」である（同ツ）。

　☞したがって，合計「金147,500円」となる。なお，定率課税を含む登記申請ではあるが，問1ただし書の指示があるので，内訳の記載はしないこと。

【添付書面の名称及び通数】

株主総会議事録　1通

☞公告をする方法の変更の決議，会計参与設置会社の定めの設定の決議，会計参与の選任決議，監査役設置会社の定めの廃止の決議，監査役の監査の範囲を会計に関するものに限定する旨の定款の定めの廃止の決議をしたことを証する書面（商登46Ⅱ）及び取締役の退任時期を証する書面（商登54Ⅳ）として，「別紙4」の定時株主総会の議事録を1通添付する。

株主の氏名又は名称，住所及び議決権数等を証する書面（株主リスト）　1通

☞商登規61Ⅲ，注5の指示

（アドレスの決定を証する書面　1通）

☞別紙15の4，委任状にアドレスの記載がない場合に添付する。

定款　1通　←別紙2第15条（商登規61Ⅰ，会202Ⅲ②），別紙2第29条第1項，第33条，第10条（商登54Ⅳ）

取締役会議事録　1通

☞募集株式の発行の決議があったことを証するため，別紙3の取締役会議事録を1通添付する（商登46Ⅱ）。

募集株式の引受けの申込みを証する書面　3通＜×5通，4通＞

☞商登56①前段，別紙5，別紙15の3

払込みがあったことを証する書面　1通　←商登56②，別紙15の3

資本金の額の計上に関する証明書（or　資本金の額が会社法及び会社計算規則の規定に従って計上されたことを証する書面）　1通　←商登規61Ⅸ

＜×総株主の同意書＞

☞通知日（3月14日，別紙15の2）と申込期日（3月29日）の間に2週間アリ（会202Ⅳ）

会計参与の就任承諾書　1通　←商登54Ⅰ，注3の示唆

会計参与税理士法人ハマナスの登記事項証明書　1通＜×添付省略＞　←注2の指示

☞本問では，申請会社の本店の所在場所を管轄する登記所と税理士法人ハマナスの主たる事務所の所在場所を管轄する登記所が異なる（注14，別紙4の第3号議案）ので，税理士法人ハマナスの登記事項証明書を添付する必要がある（商登54Ⅱ②）。なお，注2の指示があるので，会社法人等番号の記載で添付を省略する取扱い（商登19の3）はしないこと。

取締役Bの辞任届　1通　←別紙6

＜×代表取締役Bの印鑑証明書＞

委任状　1通　←商登18，注10，注1の示唆（商登規35の2Ⅱ，商登24⑦）

【登記の事由】

取締役及び代表取締役の変更　←役員区

＜×役員等の会社に対する責任の免除に関する規定の設定＞
　　☞登記申請不可→第3欄で指摘

非業務執行取締役等の会社に対する責任の制限に関する規定の設定　←役員責任区

株式交付　←株式・資本区

【登記すべき事項】

令和6年3月30日＜×6月27日＞**取締役B辞任**　←別紙6，別紙15の6

令和6年6月27日＜×25日＞**取締役G就任**　←注3の示唆，別紙13，別紙16の7

令和6年6月28日＜×25日＞**取締役H就任**　←注3の示唆，別紙14，別紙16の7

令和6年6月29日以下の者就任　←注3の示唆，別紙10

　　東京都北区スイセン町4番地

　　代表取締役　　G

令和6年6月25日設定

　　非業務執行取締役等の会社に対する責任の制限に関する規定

　　　当会社は，会社法第427条の規定により，取締役（業務執行取締役等であるもの
　　を除く。）及び会計参与との間に，同法第423条の行為による賠償責任を限定する
　　契約を締結することができる。ただし，当該契約に基づく賠償責任の限度額は，
　　法令が規定する額とする。

令和6年7月1日変更　←別紙8の第7条

　　発行済株式の総数　　1万6900株　←1万4500株＋2400株（1200株×2）

　　＜×資本金の額＞　←別紙8の第5条

【登録免許税額】

金6万円

☞取締役及び代表取締役の変更の登記は，役員変更分として，役員変更時点の資本金の額は1億円超の「金1億6250万円」であるので，申請件数1件につき，「金3万円」である（登録税別表第一・二十四・（一）・カ）。

☞非業務執行取締役等の会社に対する責任の制限に関する規定の設定及び「資本金を増加しない」株式交付の登記は，その他変更分として，申請件数1件につき「金3万円」である（同ツ）。

☞したがって，合計「金6万円」となる。なお，本申請は，定率課税にかかる登記を含まないことから，問2ただし書の指示がなくても，内訳の記載は要しない。

【添付書面の名称及び通数】

株主総会議事録　1通

☞取締役の選任，非業務執行取締役等の会社に対する責任の制限に関する規定の設定及び株式交付計画の承認を決議をしたことを証するために，「別紙7」の臨時株主総会議事録を「1通」添付する（商登46Ⅱ）。

株主の氏名又は名称，住所及び議決権数等を証する書面（株主リスト）　1通

☞商登規61Ⅲ，注5の指示

辞任届　1通　←別紙6，商登54Ⅳ

取締役の就任承諾書　2通　←別紙13・14，商登54Ⅰ

＜取締役の本人確認証明書＞　←印鑑証明書添付（商登規61Ⅶただし書）

取締役会議事録　1通

☞代表取締役Gの選定の決議を証するために，別紙10の取締役会議事録を添付する（商登46Ⅱ）。

代表取締役の就任承諾書　1通　←注3の示唆，商登54Ⅰ

印鑑証明書　4通＜×5通＞

☞新任代表取締役G（商登規61Ⅴ・Ⅳ後段），別紙10の出席取締役ＡＣＧＨ（商登規61Ⅵ③，別紙16の3）の分の合計「4通」を添付する。

株式交付計画書　1通　←別紙8，商登90の2①

総数譲渡し契約を証する書面　1通　←別紙9，商登90の2②後段

委任状　1通　←商登18，注10，注1の示唆（商登規35の2Ⅱ，商登24⑦）

第3欄

【登記することができない事項】

＜×なし＞
役員等の会社に対する責任の免除に関する規定の設定

【理由】
当該規定を設定することができるのは，「取締役が2人以上ある監査役設置会社，監査等委員会設置会社又は指名委員会等設置会社」に限られており，「監査役に代えて会計参与を置いている会社」は，役員等の責任の一部免除に関する規定を設定することができないから。
☞会426Ⅰ，327Ⅱただし書

---

1 公告をする方法の変更の登記

(1) 会社は定款に，公告方法として，官報，時事に関する事項を掲載する日刊新聞紙，電子公告のいずれかを定めることができる（会939Ⅰ）。なお，定款に公告方法の定めがない場合の公告方法は官報によってする必要がある（会939Ⅳ）。

(2) 公告方法を，日刊新聞紙又は電子公告で行う旨を定める実益は，債権者異議手続を行う場合に債権者に対する個別催告を省略できる点にある。即ち，債権者異議手続において，官報公告に加えて，定款で定める日刊新聞紙による公告又は電子公告をも行えば，原則として，知れている債権者に対する個別催告は不要となる（会789Ⅲ，449Ⅲ等）。

(3) 公告方法の変更は定款変更に当たるので，株主総会の特別決議が必要となる（会466，309Ⅱ⑪）。

(4) また，定款所定の公告を電子公告と定めている会社は，やむを得ない事由により電子公告ができない事態に備え，定款でそのような事由が生じた場合に官報又は日刊新聞紙に掲げる方法によって公告する旨を定款で定め（会939Ⅲ後段：予備的公告方法の定め），その定めを登記することができる（会911Ⅲ㉘ロ）。

① 電子公告により公告すべき内容である情報について不特定多数の者がその提供を受けるために必要な事項であって法務省令で定めるもの（会911Ⅲ㉘イ）とは，具体的には，電子公告の内容である情報を提供し（予備的公告方法の定めを含む。）又は提供する目的で設置したホームページのアドレス等である（会施規220Ⅰ柱書）。

② 電子公告をした場合において，当該公告が中断したとき，（ア）申請会社に悪意又は重過失がないか又は正当事由があり，（イ）中断時間の合計が公告を掲載すべき期間の10分の1以下で，（ウ）速やかに公告中断の事実を当初の公告に付加して公告すれば，当該公告の効力は無効とならない（会940Ⅲ）。

2 公開会社でない株式会社における取締役会決議に基づく株主割当てによる募集株式の発行による変更の登記

(1) 株主割当てによる募集事項の決定機関（会202Ⅲ）

① 募集事項等を取締役の決定によって定めることができる旨の定款の定めがある場合（株式会社が取締役会設置会社である場合を除く。）には，取締役の決定による。

② 取締役会設置会社（株式会社が公開会社である場合を除く。）にあっては，募集事項を取締役会の決議によって定めることができる旨の「定款の定め」がある場合

には，取締役会が定める。

③　株式会社が公開会社である場合には，取締役会が定める。

④　上記以外の場合には，株主総会の決議による。

当会社は，別紙2の定款第15条に，「株主に株式の割当てを受ける権利を与える場合には，募集事項並びに株主に株式の割当てを受ける権利を与える旨及び募集株式の引受けの申込みの期日は，取締役会の決議により定めることができる。」との記載がある。

(2)　通知・公告

①　株式会社は，株式の引受けの「申込期日の2週間前」までに，株主（当該株式会社を除く。会202Ⅱ）に対し，次に掲げる事項を通知しなければならない（会202Ⅳ）。これは株主に申込みの機会を与えるためであり，公告をもってこの通知に代えることはできない。

ア　募集事項

イ　当該株主が割当てを受ける募集株式の数

ウ　引受けの申込期日

②　以上の通知については，登記上の添付書面とはされていないが，通知期間を欠くと，株式発行の無効原因が発生すると解されることから，所定の期間を置かず登記を申請する場合は，「総株主の期間短縮に関する同意書」の添付を要する（**昭和54・11・6民四5692号回答**）。

(3)　申込み・割当て

①　株式会社は，募集株式の募集に応じて募集株式の引受けの申込みをしようとする者に対し，次の事項を通知しなければならない（会203Ⅰ）。

ア　株式会社の商号

イ　募集事項

ウ　金銭の払込みをすべきときは，払込みの取扱いの場所

エ　上記のほか，法務省令で定める事項

②　上記募集株式の引受けの申込みをする者は，次に掲げる事項を記載した書面を株式会社に交付しなければならない（会203Ⅱ）。

ア　申込みをする者の氏名又は名称及び住所

イ　引き受けようとする募集株式の数

③　株主割当ての場合，株主は割当てを受ける権利の行使により，当然に株式引受人としての地位を取得するから，会社法第204条第1項から第3項までの割当手続は不要である。

(4)　出資の履行

①　募集株式の引受人（現物出資財産の給付をする者は除く。）は，払込期日又は払

込期間内に，株式会社が定めた銀行等の払込取扱場所において，それぞれの募集株式の払込金額の全額を払い込まなければならない（会208Ⅰ）。

② なお，銀行等には，払込金保管証明書を発行する義務はない。

(5) 株主となる時期

　募集株式の引受人は，次に掲げる場合には，その定める日に，出資の履行をした募集株式の株主となる（会209Ⅰ）。

ア　払込期日を定めた場合には，払込期日

イ　払込期間を定めた場合には，出資の履行をした日

(6) 募集株式の発行の効果

　募集株式の発行において，

ア　新株を発行する場合には，発行済株式の総数，資本金の額及び資本準備金（資本準備金を定めた場合）が増加する。

イ　自己株式の処分の場合には，発行済株式の総数，資本金の額及び資本準備金共に変更がない。

(7) 変更登記

　払込期日を定めた場合には，その日から2週間以内に（会915Ⅰ），払込期間を定めた場合には，当該期間の末日現在より，2週間以内に（会915Ⅱ），変更登記を行う。

3　会計参与設置会社の定めの設定及び会計参与の変更の登記

(1) 株式会社は，その規模や機関設計いかんにかかわらず，定款で会計参与を設置する旨を定めることができる（会326Ⅱ）。

(2) 会計参与とは，会社の内部機関であり，取締役（指名委員会等設置会社にあっては取締役及び執行役）と共同して計算書類を作成し，法務省令（会施規102）で定めるところにより会計参与報告書等を作成する機関であり（会374Ⅰ），その資格は公認会計士若しくは監査法人又は税理士若しくは「税理士法人」でなければならない（会333Ⅰ）。

(3) なお，会計参与は，各事業年度にかかる計算書類及びその付属明細書類並びに会計参与報告書等を法務省令（会施規103）で定めるところにより，当該会計参与が定めた場所に備え置かなければならず（会378Ⅰ），当該備置き場所は登記事項となっている（会911Ⅲ⑯）。

(4) 会計参与の選任決議は，株主総会の決議において，累積投票によらない取締役の選任に準ずる（会329，339，341）。即ち，特則普通決議で足り，会社との関係は委任関係に従う（会330）のでその就任には承諾が必要となる。

(5) 会計参与の登記事項（会911Ⅲ⑯）

ア　会計参与設置会社の定めを設定した旨

イ 会計参与の氏名又は名称

ウ 計算書類等の備置場所

(6) 本問の検討

① まず，定款に会計参与を置く定めの設定のための定款変更決議を別紙4の定時株主総会の第2号議案で満場一致で有効に行っている。

② そして，新たに選任された会計参与である税理士法人ハマナスからは，同日就任承諾を得ている（注3の示唆）。

③ 又，会計参与報告等の計算書類の備置場所については，別紙4の第3号議案にその場所の記載がある。

④ なお，会計参与が法人であるときは，当該法人の登記事項証明書を添付することを原則とし，当該登記所の管轄区域内に当該会計参与法人の主たる事務所がある場合は，登記事項証明書を添付しなくてよい旨の例外規定がある（商登54Ⅱ②）。

4 監査役設置会社の定めの廃止及び監査役の変更の登記

(1) 監査役の任期は，原則として，選任後4年以内に終了する事業年度のうち最終のものに関する定時株主総会の終結の時までである（会336Ⅰ）。なお，公開会社でない株式会社においては，定款によって，その任期を選任後10年以内に終了する事業年度のうち最終のものに関する定時株主総会の終結のときまでと伸張することができる（会336Ⅱ）。又，定款によって，任期の満了前に退任した監査役の補欠として選任された監査役の任期を退任した監査役の任期の満了する時までとすることができる（会336Ⅲ）。

(2) (1)の規定にかかわらず，次に掲げる定款の定めを変更した場合には，監査役の任期は，当該定款変更の効力が生じたときに満了する（会336Ⅳ）。

ア 監査役を置く旨の定款の定めを廃止する定款変更

イ 監査等委員会又は指名委員会等を置く旨の定款の変更

ウ 監査役の監査の範囲を会計に関するものに限定する旨の定款の定めを廃止する定款の変更

エ その発行する株式の全部の内容として譲渡による当該株式の取得について当該株式会社の承認を要する旨の定款の定めを廃止する定款の変更

(3) 本問の検討

① 当会社の監査役は，令和4年3月25日に重任したF1名が存在する（別紙1参照）。

② 本来の任期は，令和8年開催予定の定時総会終結時となる。ところが，本定時総会第2号議案で監査役設置会社の定めの廃止の定款変更決議を行っている。

③ よって，本決議が可決された時点で，当該会社は，非監査役設置会社となり，上記(2)アに該当し，監査役Fは，この時点で任期満了退任となる。

5 役員等の責任免除等の定めについて

(1) 取締役，会計参与，監査役，執行役又は会計監査人（以下「役員等」という）は，その任務を怠ったとき，会社に対して，これによって生じた損害を賠償する責任を負う（会423 I ）。この任務懈怠による損害賠償責任は，会社と役員等の委任による関係から当然に導かれる任務懈怠という役員等の過失に基づく責任である。

(2) 役員等による免除に関する定款の定め

① 「監査役設置会社」（監査役の監査の範囲を会計に関するものに限定する旨の定款の定めがある会社を含まない（会2 ⑨かっこ書）ことに注意）（**取締役が2人以上ある場合に限る。**），監査等委員会設置会社又は指名委員会等設置会社は，第423条第1項の責任について，当該役員等が職務を行うにつき善意でかつ重大な過失がない場合において，責任の原因となった事実の内容，当該役員等の職務の執行の状況その他の事情を勘案して特に必要と認めるときは，賠償の責任を負う額から最低責任限度額（会427 I ）を控除して得た額を限度として取締役（当該責任を負う取締役を除く。）の過半数の同意（取締役会設置会社にあっては，取締役会の決議）によって免除することができる旨を「**定款**」で定めることができるとされている（会426 I ）。

② なお，役員等による免除に関する定款の定めは登記事項とされている（会911 Ⅲ ㉔）。

(3) 役員等の責任限定契約に関する平成27年改正

① 改正前会社法においては，株式会社は，定款で定めることにより，社外取締役等（「社外取締役」・会計参与・「社外監査役」・会計監査人）の会社に対する責任（会423 I ）について，社外取締役等との間で，その者が職務を行うにつき善意でかつ重大な過失がないときは，①定款で定めた額の範囲内であらかじめ株式会社が定めた額と②最低責任限度額とのいずれか高い額を限度とする旨の契約を締結することができるとされていた（改正前会427 I ）。この契約を「責任限定契約」という。

② この責任限定契約による責任の一部免除は，当初は，社外取締役の人材確保を目的として平成13年の商法改正により導入された制度であり，会社法改正前の旧商法においては，社外取締役のみを対象としていたものを，会社法において，会計参与・社外監査役・会計監査人の責任にまで対象を拡大したものである。

③ 平成27年5月1日施行の改正会社法により，役員等の対会社責任に係る責任限定契約の対象者は，これまでの「社外取締役等」から，「業務執行取締役等以外の取締役」・会計参与・「監査役」・会計監査人（「非業務執行取締役等」）とされた（改正会427 I ）。

　具体的には，業務執行取締役等でない取締役（社外取締役に限らない。）及び監査役（社外監査役に限らない。）が責任限定契約の対象に加えられた。

④　改正会社法第427条第1項での改正理由は，次の点にある。

　　ア　会社法における責任限定契約の対象範囲を，社外性の有無でなく，業務執行に関与するか否かにより決定すべきという考えに立つことで，自らは業務執行に関与せず，専ら経営者に対する監視・監督を行うことが期待される範囲の者は，責任が発生するリスクを自ら十分にコントロールすることができる業務執行者とは立場が異なるため，賠償責任を負う金額を責任限定契約により事前に確定することを認める余地がある。

　　イ　業務執行に関与しない役員等については，責任限定契約の締結を認めても，任務懈怠抑止の観点からの弊害は小さいとも考えられる。

　　　　以上の理由から，改正会社法第427条第1項においては，責任限定契約を締結しうる者の範囲を非業務執行取締役等にまで拡大し，それらの者との間で役員等の対会社責任の一部の免除が可能であるとの改正が行われたのである。

⑤　改正前会社法第427条第1項において許容される責任限定契約についての定款の定めが社外取締役又は社外監査役に関するものであるときは，改正前会社法第911条第3項第25号・第26号では，それぞれ社外取締役又は社外監査役である旨を登記事項としていた。

　　これは，会社法制定前の旧商法において社外取締役につき一律に登記を要請していたのに対し，会社法においては社外取締役の存在を要件とする制度を採用した会社のみを公示の対象とし，その場合に社外取締役の登記をすることとしていたものである。また，社外監査役については，会社法において新たに登記事項と定められ，その際，上記社外取締役の登記と同様に，社外監査役の存在を要件とする制度を採用した会社のみを公示の対象として社外監査役の登記をすることとしたものである。

　　しかしながら，改正会社法第427条第1項により，責任限定契約を締結できる取締役又は監査役は，社外取締役・社外監査役に限定されないこととなったため，これらの登記事項は廃止された。

6　株式交付の手続

(1)　当事者

①　「株式会社」は，他の「株式会社」を株式交付子会社として，株式交付をすることにより，株式交付親会社となることができる（会774の2，774の3）。

②　令和3年3月1日施行の会社法の改正により，株式交付の制度，即ち，A株式会社がB株式会社をその子会社とするために，B株式会社の株式を譲り受け，当該株式の譲渡人に対してその対価としてA株式会社の株式を交付するという制度が創設された（会2㉜の2）。

③　②の例で，株式交付に際して，A社は，B社の株式と併せてB社の新株予約権

又は新株予約権付社債を譲り受けることができる（会774の3Ⅰ⑦）。

④　また，A社は，株式交付の対価として，A社株式のほか，金銭その他の財産を交付することができる（会774の3Ⅰ⑤）。

(2)　株式交付の手続の概要

①　株式交付の手続は，組織再編に係る計画（株式交付計画）の作成（内容の確定）をした上，所要の手続（株主総会等の承認手続，株式買取請求手続，債権者保護手続）を行う点で，他の組織再編と類似する面が多い。

②　ただし，株式交付子会社の株式については，当該株式を有する者の譲渡しの申込み等に基づき，株式交付親会社がこれを譲り受けるものであり，基本的に，株式交付子会社における特別な手続（株主総会の承認，株式買取請求手続，債権者保護手続，株券提供公告手続等）は存しない。

③　なお，譲渡しの対象となる株式交付子会社の株式が譲渡制限株式であるときは，一般的な譲渡承認手続（会136以下）に服することとなる。

④　株式交付の効力は，効力発生日に生ずる。

(3)　株式交付計画書の記載事項

①　株式交付計画書には，株式交付子会社の商号・住所，株式交付親会社が譲り受ける株式の数の下限，株式交付親会社の資本金の額に関する事項，株式交付親会社が株式交付子会社の株式の譲渡人に対して交付する対価，株式交付子会社の株式の譲渡しの申込期日，効力発生日など，法定の事項を定めなければならない（会774の3）。

②　この場合，株式交付親会社が譲り受ける株式の数の下限は，株式交付子会社が効力発生日に株式交付親会社の子会社となる数を内容とする必要がある（会774の3Ⅱ）。

③　株式交付親会社の資本金の額は，会社計算規則第39条の2の規律に従う。基本的な考え方は，株式交換における完全親会社の資本金の額の計上の在り方と同様である。

④　株式交付親会社は，取締役の決定（取締役会設置会社にあっては，取締役会の決議）により効力発生日を変更することができる。この場合には，変更後の効力発生日は当初の効力発生日から「3か月以内」の日でなければならず，直ちに，その旨及び変更後の効力発生日を株式交付子会社の株式等の譲渡しの申込みをした者に「通知」し，また，変更前の効力発生日の「前日まで」に，変更後の効力発生日を「公告」しなければならない（会816の9，774の4Ⅴ，774の9，**令和3・1・29民商14号通達**）。

(4) 株式交付子会社の株式及び新株予約権等の譲渡し

　ア　株式の譲渡しの申込み及び割当て

　　①　株式交付親会社は，株式交付子会社の株式の譲渡しの申込みをしようとする者に対し，株式交付計画の内容等を通知しなければならない（会774の4Ⅰ）。

　　②　株式交付子会社の株式の譲渡しの申込みをする者は，申込期日までに，譲り渡そうとする株式の数等を記載した書面を株式交付親会社に交付しなければならず，これを受けて，株式交付親会社は，申込者の中から株式交付子会社の株式を譲り受ける者及びその者に割り当てる譲渡しに係る株式の数を定め，効力発生日の前日までに，申込者に対し，当該譲渡しに係る株式の数を通知することとなる（会774の4Ⅱ，774の5）。

　イ　総数譲渡し契約

　　株式交付子会社の株式を譲り渡そうとする者が，株式交付親会社が株式交付に際して譲り受ける当該株式の総数の譲渡しを行う契約（総数譲渡し契約）を締結する場合には，上記アの手続を要しない（会774の6）。

　ウ　株式交付子会社の新株予約権等の譲渡し

　　株式交付親会社は，株式交付に際して株式交付子会社の株式と併せてその新株予約権又は新株予約権付社債を譲り受けることができ，この場合には，新株予約権等の譲渡しについて，上記ア及びイと同様の手続をとる必要がある（会774の9）。

(5) 株式交付親会社における株式交付計画の承認決議

　ア　株主総会の特別決議

　　株式交付親会社は，効力発生日の前日までに，株主総会の特別決議によって，株式交付計画の承認を受けなければならない（会816の3Ⅰ，309Ⅱ⑫）。

　イ　種類株主総会の特別決議

　　①　対価として株式交付親会社の譲渡制限株式（会199Ⅳの定めがないものに限る。）を交付する場合には，株式交付は，株式交付親会社における当該譲渡制限株式の種類株主総会の特別決議がなければ，その効力を生じない（会816の3Ⅲ，324Ⅱ⑦）。

　　②　また，株式交付によりある種類の株式の種類株主に損害を及ぼすおそれがある場合も，定款で特段の定めがあるときを除き，種類株主総会の特別決議がなければ，その効力を生じない（会322Ⅰ⑭・Ⅱ，324Ⅱ④）。

　ウ　簡易株式交付（株主総会の決議を要しない場合）

　　①　対価として交付する株式等の価額の合計額が株式交付親会社の純資産額として会社法施行規則第213条の5の規定により定まる額の5分の1を超えない場合には，株式交付親会社における株主総会の決議を要しない（会816の4Ⅰ項本文）。

　　②　ただし，次の場合には，株主総会の決議を省略することはできない（会816の

４Ⅰただし書・Ⅱ)。

    ⓐ　対価として交付する金銭等（株式交付親会社の株式等を除く。）の帳簿価額が，株式交付親会社が譲り受ける株式交付子会社の株式及び新株予約権等の額を超える場合（株式交付親会社にいわゆる差損が生ずる場合）

    ⓑ　株式交付親会社が公開会社でない場合

    ⓒ　会社法施行規則第213条の6の規定により定まる数の株式を有する株主が株式交付に反対する旨を株式交付親会社に対して通知した場合

(6)　株式買取請求手続

①　株式交付親会社の株主は，簡易株式交付の場合を除き，株式交付に反対する場合には，株式買取請求権を有する（会816の6Ⅰ）。

②　株式交付親会社は，効力発生日の20日前までに，株主に対して一定の事項を通知し又は公告しなければならず，株式買取請求権が行使されたときは，会社法第816条の7の手続を要する。

(7)　債権者保護手続

原則として，債権者保護手続を要しないが，対価として株式交付親会社の株式（少額の金銭等を含む。会施規213の7）以外の財産を交付する場合には，株式交付親会社は債権者保護手続をとる必要があり，その手続は，吸収合併の存続会社における手続と基本的に同様である（会816の8）。

(8)　効力発生日

①　株式交付子会社の株式の譲渡人となった者は，効力発生日に，当該株式を株式交付親会社に給付しなければならない（会774の7。株式の移転に関する第三者対抗要件の具備を含む。竹林俊憲著「一問一答　令和元年改正会社法」202頁）。

②　株式交付親会社は，効力発生日に，当該給付を受けた株式交付子会社の株式及び新株予約権等を譲り受けることとなる（会774の11Ⅰ）。

③　また，当該給付をした株式交付子会社の株式の譲渡人は，効力発生日に，株式交付計画の定めに従い，株式交付親会社の株主となる（会774の11Ⅱ）。

④　効力発生日において株式交付親会社が給付を受けた株式交付子会社の株式の総数が，株式交付計画で定めた「株式交付親会社が譲り受ける株式の数の下限」に満たない場合には，株式交付の効力は生じない（会774の11Ⅴ③）。

⑤　なお，効力発生日の変更の手続については，前記(3)を参照されたい。

(9)　株式交付の差止請求

簡易株式交付の場合を除き，株式交付が法令又は定款に違反する場合において，株式交付親会社の株主が不利益を受けるおそれがあるときは，当該株主は，株式交付をやめることを請求することができる（会816の5）。

【本書に関するお問合せについて】

　本書の正誤に関するご質問は，書面にて下記の送付先まで郵送もしくはFAXでご送付ください。なお，その際にはご質問される方のお名前，ご住所，ご連絡先電話番号（ご自宅／携帯電話等），FAX番号を必ず明記してください。

　また，お電話でのご質問および正誤のお問合せ以外の書籍に関する解説につきましてはお受けいたしかねます。あらかじめご了承くださいますようお願い申し上げます。

【ご送付先】

〒162-0845　東京都新宿区市谷本村町3－22　ナカバビル1階
　　　　　　東京法経学院
　　　　　　「令和6年度 司法書士 本試験問題と詳細解説」編集係　宛
　　　　　　FAX：03-3266-8018

令和6年度
司法書士 本試験問題と詳細解説

令和6年10月5日　初版発行

編　　　者　　東京法経学院 編集部
発 行 者　　立　石　寿　純
発 行 所　　東　京　法　経　学　院
　　　　　　〒162－0845
　　　　　　東京都新宿区市谷本村町3－22
　　　　　　　　　　　　ナカバビル1F
　　　　　　電　話　03（6228）1164（代表）
　　　　　　ＦＡＸ　03（3266）8018（営業）
　　　　　　郵便振替口座　00120-6-22176

〔不許複製
　版権所有〕

印刷・製本　ワコー

　本書に関する法改正等受験上の有益情報，誤植の訂正その他追加情報については，次のURLにてご参照ください。「https://www.thg.co.jp/support/book/」
※乱丁，落丁の場合はお取替えいたします。

ISBN978-4-8089-1621-3